O SIGNO DOS QUATRO

SHERLOCK
O SIGNO DOS QUATRO

SIR ARTHUR CONAN DOYLE

Tradução: Michele de Aguiar Vartuli

Copyright © Introdução, 2012, Martin Freeman
Copyright © 2014, Companhia Editora Nacional

Diretor Superintendente: Jorge Yunes
Diretora Editorial Adjunta: Silvia Tocci Masini
Editores: Cristiane Maruyama, Marcelo Yamashita Salles
Editora Júnior: Nilce Xavier
Revisão: Lilian Aquino
Produtora Editorial: Solange Reis
Coordenação de Arte: Márcia Matos
Estagiária de Arte: Camila Simonetti

Publicado em 2012 pela BBC Books, um selo da Ebury Publishing, empresa do grupo Random House.

Este livro foi publicado como acompanhamento da série de televisão *Sherlock*, transmitida na BBC1 em 2012. *Sherlock* é uma produção da Hartswood Films para a BBC Wales, em coprodução com a MASTERPIECE.
Produtores executivos: Beryl Vertue, Mark Gatiss e Steven Moffat
Produtora executiva da BBC: Bethan Jones
Produtora executiva da MASTERPIECE: Rebecca Eaton
Produtora da série: Sue Vertue
Fotos de capa: Colin Hutton © Hartswood Films Ltd
Design da capa original: Two Associates

CIP-BRASIL. CATALOGAÇÃO NA PUBLICAÇÃO
SINDICATO NACIONAL DOS EDITORES DE LIVROS, RJ

D784S

    Doyle, Arthur Conan, Sir, 1859-1930
    Sherlock: o signo dos quatro / Arthur Conan Doyle ; tradução Michele de Aguiar Vartuli. - 1. ed. - São Paulo : Companhia Editora Nacional, 2014.
    200 p. : il. ; 21 cm.

    Tradução de: Sherlock: the sign of four
    ISBN 978-85-04-01918-6

    1. Holmes, Sherlock (Personagem fictício) - Ficção. 2. Watson, John H. (Personagem fictício) - Ficção. 3. Detetives particulares - Inglaterra - Ficção. 4. Ficção policial inglesa. I. Vartuli, Michele de Aguiar. II. Título.

14-12890	CDD: 823
	CDU: 821.111-3

06/06/2018   10/06/2014

1ª edição - São Paulo - 2014
Todos os direitos reservados
1ª Reimpressão Setembro / 2015

Av. Alexandre Mackenzie, 619 – Jaguaré
São Paulo – SP – 05322-000 – Brasil – Tel.: (11) 2799-7799
www.editoranacional.com.br – editoras@editoranacional.com.br
CTP, Impressão e acabamento Prol Editora Gráfica

Sumário

Introdução de Martin Freeman 7

1. A Ciência da Dedução 11
2. A Exposição do Caso 25
3. Em Busca de Uma Solução 35
4. A História do Homem Calvo 43
5. A Tragédia da Mansão Pondicherry 59
6. Sherlock Holmes Faz Uma Demonstração 71
7. O Episódio do Barril 85
8. Os Irregulares da Baker Street 103
9. Uma Quebra na Corrente 119
10. O Fim do Ilhéu 135
11. O Grande Tesouro de Agra 149
12. A Estranha História de Jonathan Small 159

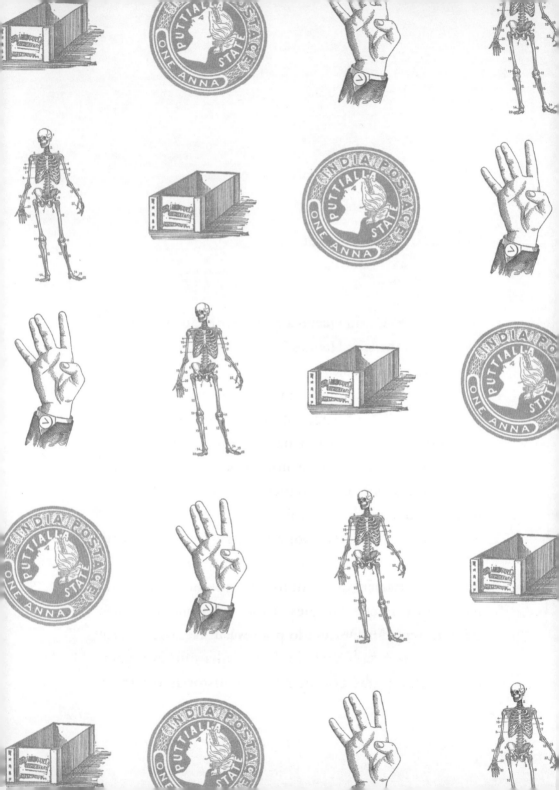

INTRODUÇÃO

"Martin, você foi convidado a participar de uma adaptação moderna de Sherlock Holmes."

Oh-oh.

Um alarme disparou na minha cabeça. O que significaria "moderno", no jargão da tevê? Deduções em ritmo de *rap*? Holmes e Watson dando um rolê por Londres num Lexus a caminho de um encontro com Lestrade, uma lésbica cadeirante com predileção pelo uso de drogas perigosas na hora do almoço?

Na verdade, a julgar por algumas resenhas do *Daily Mail* sobre o seriado, foi *isso* que acabamos fazendo. Mas estou saindo do assunto... O que me preocupava era a ideia de que Holmes ficasse "descolado". E não no bom sentido. Descolado pra tevê. E ele, você sabe... não tem nada de descolado. E eu tinha um leve temor de que ele se afastasse demais das histórias originais, mesmo sem, você adivinhou, jamais ter lido *nenhuma* das histórias originais.

Conan Doyle? Confere. *O Cão dos Baskervilles?* Confere. (Mostre-me qualquer versão e eu vou querer assistir.) Rathbone e Bruce?* Com certeza. (Meu primeiro contato com Holmes e, para mim, brilhantes até hoje.)

A boa notícia (claro, claro, à parte Moffat e Gatiss, já vou falar deles) era que eles queriam Benedict Cumberbatch no papel de Holmes. Tá, disso eu gostei. Sempre admirei o trabalho dele e conseguia imaginá-lo como Sherlock sem problemas. Mas queriam que eu interpretasse Watson. Isso era bom? O papel era interessante? Não me apetecia ficar "moscando" fora do quadro enquanto outro brilhava.

E também, com o mais profundo respeito por Nigel Bruce (meu Watson preferido), ele era uns 731 anos mais velho do que eu ao encarnar o personagem (ou parecia ser — foi em outra época, provavelmente ele tinha só uns 26).

Enfim, o roteiro chegou, e tudo, tudo mesmo, se encaixou. A atmosfera, o ritmo, o relacionamento entre Sherlock e John, o equilíbrio entre ação e o que gosto de chamar de "falas" — tudo isso saltava das páginas e me arrebatava. Não é de se admirar. Steven Moffat e Mark Gatiss são roteiristas muito bons, muito respeitados. Mas

---

* Basil Rathbone e Nigel Bruce — Atores britânicos que estrelaram várias adaptações para o cinema das histórias de Sherlock Holmes, interpretando, respectivamente, Holmes e Watson. (N. T.)

INTRODUÇÃO

Watson era bem mais ativo do que eu esperava. Será que isso foi obra deles? Transformaram aquele lesado num herói de ação?

Bem, não, não exatamente. Quero dizer, o que Steven e Mark fizeram como roteiristas em *Sherlock* é praticamente um milagre, acho. Suas invenções e inovações estão muito próximas da genialidade, se é que isso existe. Mas o material original de Conan Doyle, como eu iria descobrir, era muito mais "moderno", muito menos intimista do que eu pensava.

John era um médico do exército que ficou inválido no Afeganistão, como o Watson original. Era um homem fisicamente capaz, como nas histórias originais. Como já falei, eu não tinha lido Conan Doyle àquela altura. Mas, quando aceitei o papel de John, comecei a me familiarizar com os originais. Continuo fazendo isso. É bom não ter pressa com essas coisas e, felizmente, há muito material a ser apreciado.

Como histórias, elas imploram para ser dramatizadas — não é por acaso que o foram tantas vezes, mais do que quase qualquer outra obra de ficção que me venha à mente. Não só pelas tramas serem tão inteligentes, porque são, ou pelos personagens serem tão bem construídos, porque são. As falas são ótimas! Quanto mais leio, mais reconheço, em várias adaptações para o cinema e a tevê, trechos inteiros com falas de Doyle completamente inalteradas. Elas têm drama. E inteligência de verdade. O livro que você tem nas mãos é um bom exemplo.

Só vou dizer que Mary Morstan aparece, o que é uma boa notícia para John Watson. O resto você pode descobrir sozinho e se deliciar.

Martin Freeman
Ator da série

um
A CIÊNCIA DA DEDUÇÃO

Sherlock Holmes pegou o frasco do canto do aparador e tirou a seringa hipodérmica do belo estojo de marroquim. Com seus dedos alvos, longos e nervosos, ajustou a delicada agulha e arregaçou a manga esquerda da camisa. Por algum tempo, seus olhos pousaram, pensativos, em seu antebraço e pulso ossudos, pontilhados e marcados por inúmeras picadas. Finalmente, ele afundou a ponta afiada na pele, apertou o pequeno êmbolo e se refestelou na poltrona de veludo com um longo suspiro de satisfação.

Três vezes ao dia, durante muitos meses, eu testemunhara esse espetáculo, mas o costume não habituara minha mente ao que eu via. Ao contrário, dia após dia, aquilo me deixava cada vez mais irritado, e minha consciência se agitava dentro de mim toda noite, ao pensar que mais uma vez me faltara coragem para protestar. Muitas e muitas vezes jurei a mim mesmo que me abriria sobre esse assunto; mas havia algo no ar frio e distante do meu colega que o tornava o último homem com quem alguém fosse querer tomar qualquer coisa parecida com uma liberdade. Seus grandes poderes, seu ar magistral, e a experiência que eu tivera de suas muitas e extraordinárias qualidades, tudo isso me fazia temer e relutar em contrariá-lo.

Mas naquela tarde, fosse pelo Beaune* que eu bebera no almoço ou pela exasperação adicional que a deliberação extrema de sua atitude produzira, senti de repente que não conseguiria mais me conter.

— O que é hoje — perguntei —, morfina ou cocaína?

Ele ergueu languidamente os olhos do velho volume impresso em tipos góticos que abrira.

— É cocaína — respondeu —, numa solução a 7%. Quer experimentar?

— Não mesmo — respondi bruscamente. — Minha compleição ainda não se recuperou da campanha afegã. Não posso me dar ao luxo de submetê-la a nenhum esforço extra.

Ele sorriu da minha veemência.

— Talvez você tenha razão, Watson — ele disse. — Suponho que a influência dessa substância seja fisicamente negativa. Eu a acho, no entanto, tão transcendentalmente estimulante e esclarecedora para a mente, que sua ação secundária é uma questão de somenos importância.

---

* Vinho francês. (N. T.)

A CIÊNCIA DA DEDUÇÃO

— Mas considere! — eu disse com franqueza. — Considere o preço! Seu cérebro pode, como você diz, estar estimulado e excitado, mas é um processo patológico e mórbido que envolve um aumento na alteração dos tecidos e causa no mínimo fraqueza permanente. Você sabe, também, a reação sombria que o acomete depois. Decerto essa brincadeira não vale o seu ônus. Por que você, por um mero prazer passageiro, deveria arriscar-se a perder os grandes poderes de que foi dotado? Lembre-se, falo não apenas de um camarada para outro, mas como médico, para alguém por cuja saúde sou até certo ponto responsável.

Ele não pareceu ofendido. Ao contrário, uniu as pontas dos dedos e apoiou os cotovelos nos braços da poltrona, como alguém que se delicia numa conversação.

— Minha mente — ele disse — se rebela contra a estagnação. Dê-me problemas, dê-me trabalho, dê-me o criptograma mais obscuro ou a análise mais intrincada, e eu estarei no ambiente a mim mais adequado. Então poderei dispensar os estimulantes artificiais. Mas eu abomino a rotina enfadonha da existência. Anseio por exaltação mental. Por isso escolhi minha própria profissão particular, ou melhor, a criei, pois sou o único no mundo a exercê-la.

— O único detetive extraoficial? — eu disse, erguendo as sobrancelhas.

— O único detetive consultor extraoficial — ele respondeu. — Sou o último e mais alto tribunal de recursos da detecção. Quando Gregson, Lestrade ou Athelney Jones estão num beco sem saída... que, a propósito, é o estado normal deles..., a questão me é apresentada. Eu examino os dados, como perito, e pronuncio uma opinião de especialista. Não reivindico nenhum crédito em tais casos. Meu nome não aparece em nenhum jornal. O trabalho em si, o prazer de encontrar um campo para meus poderes peculiares, é a minha maior recompensa. Mas você mesmo já teve alguma experiência com meus métodos de trabalho no caso de Jefferson Hope.

— Sim, de fato — eu disse cordialmente. — Nunca fiquei tão impressionado em minha vida. Até dei vida à história numa pequena brochura, com o título um tanto fantástico de "Um Estudo em Vermelho".

Ele balançou a cabeça tristemente.

— Eu a folheei — disse. — Sinceramente, não posso parabenizá-lo pelo feito. A detecção é, ou deveria ser, uma ciência exata, e portanto deveria ser tratada de forma adequadamente fria e desprovida de emoção. Você tentou tingi-la de romantismo, o que produz praticamente o mesmo efeito que infiltrar um romance ou uma fuga amorosa na quinta proposição de Euclides.

— Mas o romance existia — redargui. — Eu não podia alterar os fatos.

—Alguns fatos deveriam ser suprimidos ou, no mínimo, um justo senso de proporção deveria ser observado ao abordá-los. O único detalhe do caso que merece menção é o curioso raciocínio analítico que vai dos efeitos para as causas, com o qual logrei desvendá-lo.

Fiquei aborrecido com essas críticas a um trabalho que fora especialmente criado para agradar a Holmes. Confesso, também, que me irritou o egocentrismo que parecia exigir a devoção de cada linha do meu panfleto às suas façanhas especiais. Mais de uma vez, ao longo dos anos em que convivi com meu colega na Baker Street, observei que um pouco de vaidade subjazia ao seu comportamento discreto e didático. Não fiz mais comentários, todavia, sentei-me em vez disso para repousar minha perna ferida. Um projétil *jezail* a atravessara algum tempo antes, e embora isso não me impedisse de andar, ela doía um pouco a cada mudança do clima.

— Minha prática se estendeu, recentemente, ao continente — disse Holmes depois de uma pausa, enchendo seu velho cachimbo de raiz de roseira. — Fui consultado, semana passada, por François le Villard, que, como você deve saber, tem-se destacado bastante, ultimamente, entre a detetivesca francesa. Ele tem todo o poder celta da intuição veloz, mas falta-lhe o amplo espectro de conhecimento exato, que é essencial para o desenvolvimento superior de sua arte. O caso tratava de um testamento e possuía algumas características interessantes. Eu pude lhe indicar dois casos paralelos, um em Riga, em 1857, e o outro em St. Louis, em 1871, que lhe sugeriram a solução certa. Aqui está a carta que recebi esta manhã, agradecendo a minha assistência. — Ele me jogou, enquanto falava, uma folha amassada de papel de caderno estrangeiro.

Corri os olhos por ela, notando uma profusão de expressões de admiração, pontilhada de *magnifiques, coup-de-maîtres* e *tours-de-force*, tudo um testemunho da ardente admiração do francês.

— Ele fala como um pupilo ao seu mestre — disse eu.

— Oh, ele dá importância demais à minha assistência — disse Sherlock Holmes alegremente. — Ele mesmo tem dons consideráveis. Possui duas das três qualidades necessárias para o detetive ideal. Tem o poder de observação e o da dedução. Só lhe falta conhecimento, e isso pode vir com o tempo. Agora está traduzindo minhas singelas obras para o francês.

— Suas obras?

— Oh, você não sabia? — ele exclamou rindo. — Sim, já cometi algumas monografias. São todas sobre assuntos técnicos. Por exemplo, aqui está uma "Sobre a Distinção entre as Cinzas dos Vários Tipos de Tabaco". Nela, enumero 140 tipos de tabaco de charuto, cigarro e cachimbo, com ilustrações coloridas das diferenças entre as cinzas. É uma questão que ressurge continuamente em julgamentos criminais, e que às vezes tem importância suprema como pista. Se for possível determinar de forma conclusiva, por exemplo, que um assassinato foi cometido por um homem que fumava um *lunkah* indiano, isso obviamente diminui o campo de busca. Para o olho bem treinado, existe tanta diferença entre a cinza preta de um Trichinopoly e o resíduo branco e fofo do tabaco "olho de passarinho" quanto entre um repolho e uma batata.

— Você tem um gênio extraordinário para minúcias — comentei.

— Aprecio a importância delas. Aqui está minha monografia sobre o rastreamento de pegadas, com alguns comentários sobre o uso de gesso para preservar as impressões. Aqui, também, está um curioso opúsculo sobre a influência das profissões no formato da mão, com litogravuras das mãos de telhadores, corticeiros, tipógrafos, tecelões e polidores de diamantes. É uma questão de grande interesse prático para o detetive científico; especialmente em casos de cadáveres não identificados, ou na descoberta de antecedentes criminais. Mas aborreço você com meu passatempo.

— De modo algum — respondi sinceramente. — É do maior interesse para mim, em especial desde que tive a oportunidade de observá-lo na aplicação prática de tudo isso. Mas você falou agora mesmo de observação e dedução. Obviamente uma, até certo ponto, leva à outra.

— Ora, raramente — ele respondeu, refestelando-se com volúpia em sua poltrona e soltando grossas baforadas azuis do cachimbo. — Por exemplo, a observação me mostra que você esteve na agência dos correios da Wigmore Street esta manhã, mas a dedução me informa que foi um telegrama que você enviou.

— Certo! — eu disse. — Certo sobre as duas coisas! Mas confesso que não entendo como chegou a essa conclusão. Foi uma decisão impulsiva e repentina de minha parte, e não a mencionei a ninguém.

— É a mais total simplicidade — ele declarou, rindo de minha surpresa —, algo tão absurdamente singelo que uma explicação é supérflua; no entanto, ela pode servir para definir os limites entre observação e dedução. A observação me diz que você tem um pouco de barro avermelhado no meio da sola do seu sapato. Bem em frente à agência da Wigmore Street, quebraram o calçamento e espalharam um pouco de terra, de forma que fica difícil evitar pisar nela ao entrar. A terra é desse peculiar tom avermelhado que não é encontrado, até onde sei, em nenhum outro lugar dos arredores. Até aí, é observação. O resto é dedução.

— Como, então, você deduziu o telegrama?

— Ora, naturalmente eu sabia que você não havia escrito uma carta, pois estive na sua companhia a manhã toda. Também vejo que na sua escrivaninha você já tem uma cartela de selos e um grosso maço de cartões postais. Para que iria à agência, então, senão para enviar um telegrama? Eliminando todos os outros fatores, aquele que resta deve ser a verdade.

— Nesse caso, certamente é assim — respondi, depois de refletir um pouco. — A questão, no entanto, como você diz, é das mais simples. Seria impertinência minha submeter suas teorias a um teste mais severo?

— Pelo contrário — ele respondeu —, poupar-me-ia de injetar uma segunda dose de cocaína. Ficaria deliciado em examinar qualquer problema que você quisesse me apresentar.

— Já ouvi você dizer que é difícil um homem usar diariamente algum objeto sem deixar impressa nele a sua individualidade, de tal forma que um observador treinado possa lê-la. Bem, tenho aqui um relógio de bolso que me chegou às mãos recentemente. Você faria a gentileza de me dar uma opinião sobre o caráter ou hábitos do seu antigo dono?

Eu lhe entreguei o relógio com uma leve sensação de deleite em meu peito, já que o teste era, eu pensava, de impossível solução, e minha intenção era dar uma lição no meu amigo pelo tom um tanto dogmático que ele ocasionalmente assumia. Holmes sentiu o peso do relógio em sua mão, olhou fixamente para o mostrador, abriu a tampa traseira e examinou o mecanismo, primeiro a olho nu e depois com uma poderosa lente convexa. Eu mal podia conter o sorriso ao ver sua expressão de desânimo quando ele finalmente o fechou e o devolveu.

— Quase não há dados — ele comentou. — O relógio foi limpo recentemente, o que me tolhe os fatos mais sugestivos.

— Tem razão — respondi. — Foi limpo antes de ser-me enviado.

Mentalmente, acusei meu colega de apresentar uma desculpa esfarrapada e impotente para acobertar seu fracasso. Que dados ele esperava coletar do relógio antes da limpeza?

— Ainda que insatisfatória, minha pesquisa não foi totalmente estéril — ele observou, fitando o teto com olhos sonhadores e baços. — Corrija-me se estiver errado, mas julgo que o relógio pertencia ao seu irmão mais velho, que o herdou do seu pai.

— Isso você concluiu, sem dúvida, pelas iniciais H. W. na parte de trás?

— Exatamente. O W. sugere o seu sobrenome. A data do relógio é de quase cinquenta anos atrás, e as iniciais são tão velhas quanto o relógio: portanto, ele foi feito para a última geração. Joias, em geral, são herdadas pelo filho mais velho, e é provável que ele tivesse o mesmo nome do pai. Seu pai, se bem me lembro, faleceu há muitos anos. Portanto, o relógio esteve na posse do seu irmão mais velho.

— Acertou tudo até agora — eu disse. — Mais alguma coisa?

— Ele era um homem de hábitos desorganizados... muito desorganizado e descuidado. Recebeu uma boa herança, mas desperdiçou suas oportunidades, viveu por algum tempo na pobreza, com curtos intervalos ocasionais de prosperidade, e finalmente, entregando-se à bebida, morreu. Isso é tudo que posso supor.

Eu saltei da poltrona e coxeei impacientemente pela sala, sentindo uma considerável amargura no coração.

— Isso é indigno de você, Holmes — eu disse. — Não achei que se rebaixaria a esse ponto. Você investigou a história do meu desventurado irmão, e agora finge deduzir tal conhecimento de alguma forma misteriosa. Não pode esperar que eu acredite que leu tudo isso no velho relógio dele! É grosseiro e, falando francamente, tem um toque de charlatanismo.

— Caro doutor — ele disse delicadamente —, por favor, aceite minhas desculpas. Encarando o assunto como um problema abstrato, esqueci como ele poderia ser pessoal e doloroso para você. Garanto, todavia, que eu nem sabia que você tinha um irmão, até que me entregasse esse relógio.

— Então como, em nome de todas as maravilhas, você obteve esses fatos? São absolutamente corretos em cada detalhe.

— Ah, isso foi sorte. Só posso dizer que era a somatória das probabilidades. Eu não esperava em absoluto que fosse ser tão preciso.

— Então não foi mera adivinhação?

— Não, não: eu jamais adivinho. É um hábito chocante, destrutivo para as faculdades lógicas. O que lhe parece estranho só o é porque você não acompanhou minha linha de pensamento, nem observou os pequenos fatos nos quais grandes inferências puderam se apoiar. Por exemplo, comecei declarando que seu irmão era descuidado. Quando você observa o fundo da caixa do relógio, percebe que não só está amassado em dois lugares, mas também riscado e marcado em toda parte pelo hábito de guardá-lo junto com outros objetos duros, como moedas ou chaves, no mesmo bolso.

Certamente não é façanha alguma presumir que um homem que trata com tamanha displicência um relógio de cinquenta guinéus deve ser descuidado. Tampouco é uma inferência muito improvável que um homem que herda um artigo de tal valor tenha herdado outras propriedades bastante valiosas.

Balancei a cabeça para demonstrar que acompanhava o seu raciocínio.

— É costumeiro, nas lojas de penhores da Inglaterra, riscar o número do recibo com um alfinete na parte de dentro da tampa dos relógios penhorados. É mais prático do que uma etiqueta, pois assim não há risco do número se perder ou ser trocado. Com minha lupa, detectei nada menos do que quatro dessas inscrições na parte de dentro do relógio. Inferência: seu irmão enfrentava frequentes períodos de vacas magras. Inferência secundária: ele tinha episódios ocasionais de prosperidade, ou não poderia resgatar o objeto penhorado. Finalmente, peço que você examine a placa interior, onde está o buraco da chaveta. Veja os milhares de arranhões em volta do orifício; marcas de onde a chaveta escorregou. Que homem sóbrio teria produzido todas essas ranhuras? Mas você jamais deixará de encontrá-las no relógio de um beberrão. Ele dá corda no relógio à noite, e deixa essas marcas com sua mão trêmula. Onde o mistério em tudo isso?

— Está claro como o dia — respondi. — Lamento a injustiça que lhe fiz. Eu deveria confiar mais em seus maravilhosos poderes. Posso perguntar se está no meio de algum inquérito profissional no momento?

— Não. Por isso a cocaína. Não consigo viver sem exercitar o cérebro. Que outra razão há para se viver? Olhe por esta janela. Já viu um mundo mais sombrio, desanimador e imprestável? Veja como a névoa amarela rodopia pela rua e envolve as casas cor de terra. O que poderia ser mais prosaico e material? De que adianta ter poderes, doutor, quando não há um campo no qual exercê-los? O crime é banal, a existência é banal, e nenhuma qualidade, além das que são banais, tem qualquer função no mundo.

Eu estava abrindo a boca para responder a essa lamúria quando, com batidas secas, nossa senhoria entrou, trazendo um cartão sobre a bandeja de latão.

— Uma jovem o procura, senhor — ela disse, dirigindo-se ao meu colega.

— Srta. Mary Morstan — ele leu. — Hum! Não me recordo do nome. Peça que a jovem entre, Sra. Hudson. Não vá, doutor. Prefiro que fique.

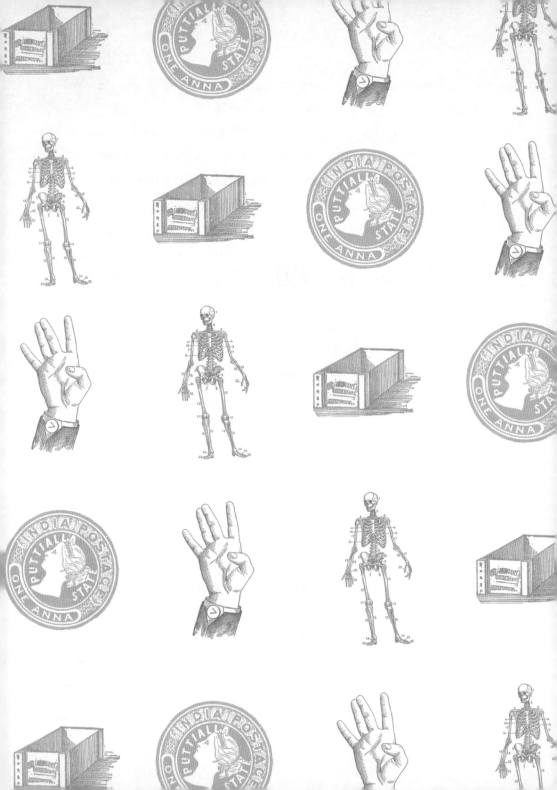

dois
A EXPOSIÇÃO DO CASO

A Srta. Morstan entrou na sala com passo firme e modos resolutos. Era uma jovem loura, miúda, delicada, enluvada e vestida com o mais perfeito bom gosto. No entanto, a discrição e a simplicidade de seu trajar traziam consigo a sugestão de meios limitados. O vestido era de um bege cinzento e sombrio, sem adereços ou ornamentos, e ela usava um pequeno turbante do mesmo tom baço, abrilhantado somente pela sugestão de uma pena branca na lateral. Seu rosto não tinha regularidade nos traços nem beleza na fisionomia, mas sua expressão era doce e amigável, e seus grandes olhos azuis eram singularmente cheios de espírito e simpáticos. Na minha experiência com o sexo oposto, que se estendia por muitas nações de três continentes, eu jamais vira um rosto que prometesse com maior clareza um temperamento refinado e sensível. Não pude deixar de observar que, ao aceitar o assento oferecido por Sherlock Holmes, seu lábio tremeu, sua mão fraquejou, e ela demonstrou todos os sinais de intensa agitação interior.

— Eu o procurei, Sr. Holmes — ela disse —, porque uma vez o senhor tornou possível que minha patroa, a Sra. Cecil Forrester, resolvesse uma pequena complicação doméstica. Ela ficou muito impressionada com sua gentileza e habilidade.

— Sra. Cecil Forrester — ele repetiu, pensativo. — Acredito ter sido de alguma utilidade para ela. O caso, porém, pelo que recordo, era bastante simples.

— Ela não achava. Mas o mínimo que se pode dizer é que o meu não é. Custo a imaginar algo mais estranho, mais totalmente inexplicável, do que a situação na qual me encontro.

Holmes esfregou as mãos e seus olhos brilharam. Ele se debruçou na poltrona com uma expressão de extraordinária concentração em seus traços definidos e aquilinos.

— Exponha seu caso — ele disse num tom seco e profissional.

Senti que minha situação era embaraçosa.

— Certamente me darão licença — eu disse, levantando-me da poltrona.

Para minha surpresa, a jovem ergueu a mão enluvada para me deter.

A EXPOSIÇÃO DO CASO

— Se o seu amigo — ela disse — tiver a bondade de ficar, ele poderá ser-me de inestimável valia.

Voltei a me sentar na poltrona.

— Sucintamente — ela continuou —, os fatos são estes. Meu pai era oficial num regimento indiano e me repatriou quando eu era muito nova. Minha mãe havia morrido, e eu não tinha parentes na Inglaterra. Fui enviada, portanto, a um confortável internato em Edimburgo, e lá permaneci até os 17 anos de idade. No ano de 1878, meu pai, que era capitão de carreira do seu regimento, obteve uma licença de 12 meses e voltou para casa. Ele me telegrafou de Londres dizendo que chegara em segurança e me instruiu para ir vê-lo imediatamente, dando o Hotel Langham como seu endereço. Sua mensagem, pelo que me lembro, transbordava ternura e amor. Ao chegar em Londres, tomei uma carruagem para o Langham, e fui informada de que o capitão Morstan estava hospedado ali, mas que saíra na noite anterior e ainda não havia retornado. Esperei o dia todo sem ter notícias dele. Naquela noite, aconselhada pelo gerente do hotel, comuniquei-me com a polícia, e na manhã seguinte anunciamos em todos os jornais. Nossas investigações não trouxeram resultado algum; e daquele dia até hoje, nada mais se soube do meu desventurado pai. Ele voltara para casa com o coração cheio de esperança de encontrar alguma paz e conforto, e em vez disso...

Ela levou a mão à garganta e um soluço estrangulado interrompeu a frase.

— O dia? — perguntou Holmes, abrindo seu caderno.

— Ele desapareceu no dia 3 de dezembro de 1878; há quase dez anos.

— Sua bagagem?

— Ficou no hotel. Nada nela sugeria uma pista — algumas roupas e livros e um número considerável de curiosidades das Ilhas Andamã. Meu pai era um dos oficiais encarregados da guarda dos prisioneiros ali.

— Ele tinha algum amigo na cidade?

— Só um, pelo que sabíamos: o major Sholto, de seu mesmo regimento, a 34ª Infantaria de Bombaim. O major fora reformado algum tempo antes e morava em Upper Norwood. Entramos em contato com ele, claro, mas ele nem sabia que seu camarada oficial estava na Inglaterra.

— Um caso singular — comentou Holmes.

— Ainda não descrevi a parte mais singular. Há cerca de seis anos... para ser exata, em 4 de maio de 1882... *The Times* publicou um anúncio solicitando o endereço da Srta. Mary Morstan, declarando que seria vantajoso para ela se apresentar. O anúncio não trazia nome ou endereço. Na época, eu acabara de assumir o cargo de governanta junto à família da Sra. Cecil Forrester. A conselho dela, publiquei meu endereço na coluna de anúncios classificados. No mesmo dia, o correio entregou uma pequena caixa de papelão endereçada a mim, que descobri conter uma grande e lustrosa pérola. Nenhum bilhete a acompanhava. Desde então, todo ano, na mesma data, sempre aparece uma caixa semelhante, contendo uma pérola semelhante, sem nenhuma pista de seu remetente. Um especialista declarou que elas são de um tipo raro e de valor considerável. Os senhores podem verificar que são muito bonitas. — Ela abriu uma caixa fina enquanto falava e me mostrou seis das mais magníficas pérolas que eu já vira.

— Sua narrativa é assaz interessante — disse Sherlock Holmes. — Mais alguma coisa lhe aconteceu?

— Sim, e foi hoje mesmo. Por isso o procurei. Hoje de manhã recebi esta carta, que talvez o senhor mesmo queira ler.

— Obrigado — disse Holmes. — O envelope também, por favor. O carimbo é de Londres, S. W. Data, 7 de julho. Hum! Marca de polegar masculino no canto, provavelmente do carteiro. Papel da melhor qualidade. Estes envelopes custam seis *pence* o maço. O homem é meticuloso em suas missivas. Sem endereço.

Esteja na terceira coluna da esquerda diante do Teatro do Liceu hoje à noite, às 19h00. Se estiver desconfiada, traga dois amigos. A senhorita foi lesada e ser-lhe-á feita justiça. Não traga a polícia. Se fizer isso, será tudo em vão. Seu amigo desconhecido.

— Bem, este é realmente um belo misteriozinho! O que pretende fazer, Srta. Morstan?

— É exatamente o que eu queria lhe perguntar.

— Então decerto iremos. A senhorita, eu e... sim, ora, o Dr. Watson é a pessoa mais indicada. Dois amigos, seu correspondente diz. Ele e eu já trabalhamos juntos.

— Mas ele aceitaria ir? — ela perguntou, com um cativante apelo em sua voz e expressão.

— Ficaria orgulhoso e feliz — eu disse com fervor — se lhe pudesse ser de qualquer assistência.

— Ambos são muito gentis — ela respondeu. — Levo uma vida reservada e não tenho nenhum amigo a quem possa apelar. Suponho que baste que eu esteja aqui às 18 horas?

— Não deve chegar mais tarde do que isso — disse Holmes. — Há outra questão, todavia. Esta caligrafia é a mesma dos endereços nas caixas das pérolas?

— Estou com eles aqui — ela respondeu, apresentando meia dúzia de pedaços de papel.

— A senhorita é, sem sombra de dúvida, uma cliente-modelo. Tem a intuição correta. Vejamos, então. — Ele espalhou os papéis sobre a mesa e correu os olhos por eles. — Certamente a caligrafia está disfarçada neles, com exceção da carta — Holmes disse em seguida —; mas não resta dúvida quanto à autoria. Vejam como o irreprimível *e* grego se destaca, e observem o floreio do *s* final. Foram indubitavelmente grafados pela mesma pessoa. Não gostaria de lhe incutir falsas esperanças, Srta. Morstan, mas existe qualquer semelhança entre esta caligrafia e a do seu pai?

— Não poderiam ser mais diferentes.

— Eu esperava que dissesse isso. Vamos aguardá-la, então, às 18 horas. Por favor, permita que eu fique com os papéis. Posso investigar o caso antes disso. São só 15h30. *Au revoir*, então.

— *Au revoir* — disse nossa visitante; e lançando um olhar terno e brilhante de um para o outro, guardou a caixa das pérolas em seu decote e saiu apressada.

Da janela, eu a observei apertando o passo pela rua, até que o turbante cinza e a pena branca se tornaram um ponto na multidão monótona.

— Que mulher atraente! — exclamei, virando-me para o meu colega.

Ele acendera novamente o cachimbo e estava se refestelando na poltrona, com as pálpebras semicerradas.

— É mesmo? — ele disse com languidez. — Não reparei.

— Você é realmente um autômato; uma máquina de calcular! — exclamei. — Há algo de positivamente inumano em você, às vezes.

Holmes sorriu delicadamente.

— É de primordial importância — ele disse — não permitir que o julgamento seja influenciado por qualidades pessoais. Um cliente, para mim, é uma mera unidade, um fator do problema. As faculdades emocionais antagonizam a clareza de raciocínio. Garanto a você que a mulher mais encantadora que já conheci foi enforcada por envenenar três criancinhas para receber o dinheiro de um seguro, e o homem mais repulsivo que conheço é um filantropo que distribuiu quase 250 mil libras entre os pobres de Londres.

— Neste caso, no entanto...

— Eu nunca abro exceções. Uma exceção refuta a regra. Você já teve a oportunidade de estudar o caráter a partir da caligrafia? O que acha da escrita deste camarada?

— É legível e regular — respondi. — Um homem de hábitos práticos e alguma força de caráter.

Holmes balançou a cabeça.

— Veja as letras com hastes dele — disse meu colega. — Mal se destacam em meio ao rebanho das outras. Aquele *d* poderia ser um *a*, e aquele *l*, um *e*. Homens de caráter sempre grafam hastes altas, por mais ilegivelmente que escrevam. Seus *k* são vacilantes e suas maiúsculas denotam autoestima. Agora vou sair. Preciso fazer algumas consultas. Permita-me recomendar este livro; um dos mais notáveis já escritos. É *O Martírio do Homem*, de Winwood Reade. Volto dentro de uma hora.

Sentei-me à janela com o volume nas mãos, mas meus pensamentos estavam distantes das especulações ousadas do autor. Minha mente corria para nossa recente visita — seus sorrisos, os tons graves e ricos de sua voz, o estranho mistério que pairava sobre sua vida. Se ela tinha 17 anos na época do desaparecimento do pai, devia ter 27 anos agora — uma doce idade, quando a juventude já perdeu sua timidez e se tornou um pouco mais sóbria pela experiência. Assim fiquei ponderando, até que pensamentos tão perigosos vieram-me à cabeça que corri para a minha escrivaninha e mergulhei furiosamente no mais recente tratado de patologia. Quem era eu, um cirurgião do exército com uma perna fraca e uma conta bancária mais fraca ainda, para ousar pensar em tais coisas? Ela era uma unidade, um fator — nada mais. Se meu futuro era negro, certamente era melhor encará-lo como homem do que tentar abrilhantá-lo com meros arroubos da imaginação.

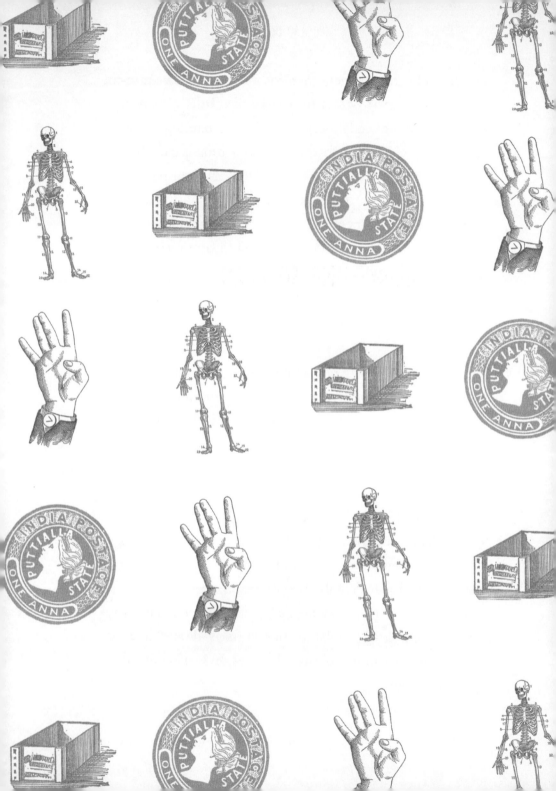

três
EM BUSCA DE UMA SOLUÇÃO

Passava das 17h30 quando Holmes retornou. Estava empolgado, ansioso e de excelente disposição — um humor que, no caso dele, se alternava com episódios da mais negra depressão.

— Não existe nenhum grande mistério neste caso — ele disse, aceitando a xícara de chá que eu enchera para ele. — Os fatos parecem admitir uma única explicação.

— O quê! Já resolveu o caso?

— Bem, isso seria exagero. Descobri um fato sugestivo, só isso. É, no entanto, *muito* sugestivo. Ainda falta preencher os detalhes. Acabo de descobrir, consultando o arquivo do jornal *The Times*, que o major Sholto, de Upper Norwood, reformado da 34ª Infantaria de Bombaim, morreu em 28 de abril de 1882.

— Posso ser muito obtuso, Holmes, mas não entendo o que isso sugere.

— Não? Você me surpreende. Veja por este lado, então. O capitão Morstan desaparece. A única pessoa que ele pode ter visitado em Londres é o major Sholto. O major Sholto nega ter ciência de que o capitão estava em Londres. Quatro anos depois, Sholto morre. Uma semana depois de sua morte, a filha do capitão Morstan recebe um presente valioso, que se repete ano após ano, e agora culmina numa carta que a descreve como uma mulher injustiçada. A que injustiça pode estar se referindo, senão a esse sumiço do pai dela? E por que os presentes começariam imediatamente após a morte de Sholto, a menos que o herdeiro de Sholto soubesse alguma coisa sobre o mistério e desejasse fazer uma compensação? Você tem alguma outra teoria que explique os fatos?

— Mas que compensação estranha! E executada de forma igualmente estranha! E também, por que ele escreveria uma carta agora, e não há seis anos? Repetindo, a carta fala de lhe fazer justiça. Que justiça pode ser feita a ela? É demais supor que seu pai ainda esteja vivo. Não há outra injustiça no caso dela, como você sabe.

— Existem dificuldades; certamente existem dificuldades — disse Sherlock Holmes, pensativo. — Mas nossa expedição desta noite há de resolvê-las todas. Ah, aqui está uma carruagem, e a Srta. Morstan vem nela. Está pronto? Então é melhor que desçamos, pois já passou um pouco da hora.

Peguei meu chapéu e minha bengala mais robusta, mas observei que Holmes tirou seu revólver da gaveta e o enfiou no bolso. Estava claro que ele achava que nosso trabalho daquela noite poderia ter graves desdobramentos.

A Srta. Morstan trajava uma capa escura, e seu rosto sensível estava composto, porém pálido. Ela seria mais do que uma mulher se não sentisse algum desconforto com a estranha empreitada que estávamos iniciando, mas seu autocontrole era perfeito, e ela respondeu prontamente às poucas perguntas adicionais que Sherlock Holmes lhe fez.

— O major Sholto era um amigo muito especial de papai — ela disse. — Suas cartas eram cheias de alusões ao major. Ele e papai estavam no comando das tropas nas Ilhas Andamã, por isso passavam muito tempo juntos. A propósito, um papel curioso foi encontrado na escrivaninha de papai, que ninguém conseguiu entender. Imagino que não tenha a menor importância, mas achei que o senhor poderia querer vê-lo, por isso o trouxe. Aqui está.

Holmes desdobrou o papel com cuidado e o alisou sobre o joelho. Então, muito metodicamente, o examinou por completo com sua lente dupla.

— É papel de manufatura indiana nativa — ele comentou. — Em algum momento, foi preso a uma tábua. O diagrama que contém parece ser a planta de parte de um grande edifício com muitas salas, corredores e passagens. Num ponto há uma pequena cruz grafada em tinta vermelha, e acima dela está a inscrição desbotada a lápis: "3,37 da esquerda". No canto esquerdo, há um curioso hieróglifo semelhante a quatro cruzes alinhadas com os braços se tocando. Ao lado está escrito, em letras muito rústicas e irregulares: "O signo dos quatro — Jonathan Small, Mahomet Singh, Abdullah Khan, Dost Akbar". Não, confesso que não vejo como isso possa influir no caso. No entanto, está claro que é um documento importante. Foi guardado cuidadosamente numa carteira, pois um lado está tão limpo quanto o outro.

— Foi na carteira dele que o encontramos.

— Guarde-o com cuidado, então, Srta. Morstan, porque ele pode provar-se útil para nós. Começo a desconfiar que esta questão revelar-se-á muito mais profunda e sutil do que supus inicialmente. Preciso reconsiderar minhas ideias. — Ele se recostou na carruagem, e pude perceber, por seu cenho franzido e o olhar distante, que ele estava pensando intensamente. A Srta. Morstan e eu conversávamos em voz baixa sobre nossa presente expedição e seu possível resultado, mas nosso colega manteve sua reserva impenetrável até o fim da jornada.

Era uma noite de setembro e ainda não eram 19 horas, mas o dia fora cinzento, e uma neblina densa e úmida pairava sobre a grande cidade. Nuvens cor de barro pesavam tristemente sobre as ruas enlameadas. Ao longo da Strand, os lampiões eram apenas borrões tênues de luz difusa, que projetavam um fraco brilho circular sobre o calçamento lodoso. O brilho amarelado das vitrines cortava o ar vaporoso e lançava uma claridade encoberta e irregular através da via movimentada. Havia, para mim, algo sombrio e fantasmagórico na interminável procissão de rostos que lampejavam ao cruzar essas estreitas faixas de luz — rostos tristes e alegres, miseráveis e felizes. Como toda a humanidade, passavam das sombras para a luz, e voltavam às sombras mais uma vez. Não sou suscetível a impressões, mas a noite monótona e pesada, junto com a estranha missão na qual estávamos empenhados, se uniam para me deixar nervoso e deprimido. Eu podia ver, pela atitude da Srta. Morstan, que ela sofria da mesma sensação. Somente Holmes conseguia pairar acima dessas influências mesquinhas. Ele mantinha o caderno aberto sobre o joelho, e de vez em quando rabiscava desenhos e lembretes à luz de sua lanterna de bolso.

No Teatro do Liceu, a multidão já era grande diante das entradas laterais. Na entrada principal, um fluxo contínuo de *hansoms** e carruagens de quatro rodas chocalhavam, despejando suas cargas de homens trajados a rigor e mulheres cobertas de xales e diamantes. Mal havíamos chegado à terceira coluna, que era o nosso ponto de encontro, quando um homenzinho escuro e agitado, vestido de cocheiro, nos abordou.

— São os acompanhantes da Srta. Morstan? — ele perguntou.

— Eu sou a Srta. Morstan, e estes dois cavalheiros são meus amigos — ela disse.

---

* Carruagem leve de duas rodas com o assento do condutor atrás e por cima da cobertura, muito usada como táxi, e que leva o nome de seu criador, o engenheiro britânico Joseph Aloysius Hansom (1803-1882). (N. T.)

Ele nos dirigiu um olhar maravilhosamente penetrante e inquisidor.

— Perdão, senhorita — ele disse, de maneira um tanto obstinada —, mas me instruíram para que eu exigisse sua palavra de que nenhum dos seus acompanhantes é policial.

— Dou minha palavra quanto a isso — ela respondeu.

Ele soltou um assobio agudo, ao qual um menino de rua trouxe uma carruagem e abriu a porta. O homem que nos abordara subiu no assento do condutor, enquanto nos acomodávamos na cabine. Mal havíamos nos sentado quando o condutor estalou o chicote, e desabalamos numa corrida furiosa pelas ruas enevoadas.

A situação era peculiar. Estávamos indo para um lugar desconhecido, com um propósito desconhecido. No entanto, ou nosso convite era um completo engodo — uma hipótese inconcebível — ou tínhamos bons motivos para crer que questões importantes dependeriam da nossa jornada. A expressão da Srta. Morstan estava resoluta e contida como sempre. Tentei alegrá-la e distraí-la com reminiscências das minhas aventuras no Afeganistão; mas, para dizer a verdade, eu mesmo estava tão agitado com nossa situação e tão curioso quanto ao nosso destino que apresentava minhas histórias de forma superficial e distraída. Até hoje ela garante que lhe contei uma tocante anedota sobre como um filhote de fuzil entrara na minha tenda no meio da noite, e como eu atirara nele com meu tigre de cano duplo. De início, eu fazia alguma ideia da direção que estávamos seguindo; mas logo, com a nossa velocidade, a neblina e meus conhecimentos limitados de Londres, me vi perdido e sem saber nada, a não ser que parecíamos estar a caminho de um lugar muito distante. Sherlock Holmes, todavia, de maneira infalível, resmungava os nomes de todas as praças e ruazinhas tortuosas pelas quais a chocalhante carruagem enveredava.

— Rochester Row — ele dizia. — Agora, a Vincent Square. Agora estamos na estrada que dá para a Ponte Vauxhall. Pelo visto, vamos para os lados de Surrey. Sim, como pensei. Agora estamos passando pela ponte. Vocês podem ver o brilho do rio.

De fato, vimos de relance um trecho do Tâmisa, com os lampiões refletidos nas águas largas e silenciosas; mas nossa carruagem seguiu correndo e logo se meteu num labirinto de ruas do outro lado.

— Wordsworth Road — dizia o meu colega. — Priory Road. Lark Hall Lane. Stockwell Place. Robert Street. Cold Harbour Lane. Nossa busca não parece nos levar a lugares muito elegantes.

Realmente, havíamos chegado a uma parte questionável e inóspita da cidade. Longas séries de casas monótonas de tijolos só eram interrompidas pelo clarão áspero e o brilho vulgar das *public houses** nas esquinas. Depois vinham fileiras de sobrados, cada um com um jardim em miniatura

---

* Nome dado aos bares ingleses, hoje mais conhecidos pela abreviação pub. (N. T.)

na frente, e então, mais uma vez, faixas intermináveis de novos edifícios vistosos de tijolos — monstruosos tentáculos que a grande cidade lançava sobre a zona rural. Finalmente, a carruagem parou na terceira casa de uma ladeira nova. Nenhuma das outras casas era habitada, e aquela diante da qual paramos estava tão às escuras quanto as adjacentes, a não ser por um brilho isolado na janela da cozinha. Quando batemos, todavia, a porta foi instantaneamente escancarada por um serviçal hindu, usando turbante amarelo, roupas folgadas e uma faixa de tecido amarelo na cintura. Havia alguma coisa estranhamente incongruente naquela figura oriental, emoldurada pelo batente comum de uma moradia suburbana de terceira classe.

— O *sahib* está à sua espera — ele disse, e antes mesmo que concluísse, ouvimos uma voz sonora e aguda vindo de algum cômodo interno. — Traga-os até mim, *khitmutgar** — a voz exclamou. — Pode trazê-los imediatamente.

---
* "Criado". Em árabe no original. (N. T.)

quatro
A HISTÓRIA DO HOMEM CALVO

Seguimos o indiano por uma passagem sórdida e simplória, mal iluminada e mobiliada pior ainda, até que chegamos a uma porta do lado direito, que ele escancarou. Um clarão de luz amarela se derramou sobre nós, e no centro do brilho estava um homenzinho de cabeça muito erguida, com um tufo de cabelo ruivo em volta dela e uma lisa careca brilhante que se destacava no meio, como o pico de uma montanha entre os abetos. Ele torcia as mãos enquanto esperava, e sua fisionomia estava em perpétua agitação — ora sorrindo, ora franzindo o cenho, mas nunca, nem por um instante, em repouso. A natureza lhe dera um lábio pendente e uma linha visível demais de dentes irregulares e amarelos, que ele lutava debilmente para esconder, passando a mão com frequência na parte de baixo do rosto. Apesar da ostensiva calvície, ele dava a impressão de juventude. De fato, acabara de completar 30 anos.

— Seu criado, Srta. Morstan — ele repetia com voz fina e sonora. — Seu criado, cavalheiros. Rogo-lhes que adentrem meu santuariozinho. Um lugar pequeno, senhorita, mas mobiliado ao meu gosto. Um oásis de arte no deserto ululante do sul de Londres.

Ficamos todos assombrados com a aparência do apartamento para cujo interior ele nos convidara. Naquela edificação decrépita, parecia tão fora de lugar quanto um diamante do mais alto grau de pureza engastado em latão. As cortinas e tapeçarias mais ricas e lustrosas cobriam as paredes, amarradas aqui e ali para expor algum quadro ricamente emoldurado ou algum vaso oriental. O tapete era âmbar e preto, tão macio e espesso que os pés afundavam agradavelmente nele, como numa camada de musgo. Duas grandes peles de tigre atravessadas sobre o tapete aumentavam a sugestão de luxo oriental, bem como um grande narguilé sobre um tapete menor no canto. Uma lâmpada no formato de uma pomba prateada pendia de um fio dourado quase invisível no meio do aposento. Ao queimar, seu óleo enchia o ar com um odor sutil e aromático.

— Sr. Thaddeus Sholto — disse o homenzinho, ainda agitado e sorridente. — Esse é meu nome. É a Srta. Morstan, claro. E esses cavalheiros...

— Estes são o Sr. Sherlock Holmes e o Dr. Watson.

— Um médico, hein? — ele exclamou, muito empolgado. — Trouxe o seu estetoscópio? Posso pedir — teria a bondade? Tenho sérias dúvidas quanto à minha válvula mitral, se me fizer a gentileza. Na aórtica eu confio, mas apreciaria muito a sua opinião sobre a mitral.

Auscultei seu coração, conforme solicitado, mas fui incapaz de encontrar qualquer coisa errada, à parte, aliás, ele estar transtornado pelo medo, pois tremia dos pés à cabeça.

— Parece estar normal — eu disse. — O senhor não tem nenhum motivo para se preocupar.

— Vai perdoar minha ansiedade, Srta. Morstan — ele comentou afetadamente. — Sou um grande sofredor, e há muito tenho suspeitas sobre essa válvula. Fico encantado em saber que são infundadas. Se seu pai, Srta. Morstan, tivesse evitado sobrecarregar seu coração, talvez estivesse vivo hoje.

Eu poderia ter estapeado o sujeito, de tão irritado que fiquei com aquela referência grosseira e gratuita a uma questão tão delicada. A Srta. Morstan se sentou, e até seus lábios empalideceram.

— No meu coração, eu já sabia que ele estava morto — ela disse.

— Posso lhe dar todas as informações — ele continuou —, e além disso, posso lhe fazer justiça; aliás, farei isso, não importa o que diga o irmão Bartholomew. Fico tão feliz por seus amigos estarem aqui, não só para acompanhá-la, mas também como testemunhas do que estou prestes a fazer e dizer. Nós três poderemos fazer frente corajosamente ao irmão Bartholomew. Mas nada de estranhos; nada de policiais ou autoridades. Podemos acertar tudo satisfatoriamente entre nós, sem nenhuma interferência. Nada aborreceria mais o irmão Bartholomew do que a publicidade.

Ele se sentou num sofá baixo e piscou inquisidoramente para nós seus olhos azuis fracos e lacrimosos.

— De minha parte — disse Holmes —, o que o senhor quiser dizer não será divulgado.

Eu balancei a cabeça para manifestar minha anuência.

— Está ótimo! Ótimo! — ele disse. — Posso lhe oferecer uma taça de Chianti, Srta. Morstan? Ou de Tocái? Não tenho outros vinhos. Devo abrir uma garrafa? Não? Pois bem, então, acredito que não se oponha ao uso de tabaco, ao suave aroma balsâmico do tabaco oriental. Estou um tanto nervoso e considero meu narguilé um sedativo inestimável.

Ele acendeu um lume sob o grande bojo, e a fumaça borbulhou alegremente através da água de rosas. Os três nos sentamos em semicírculo, debruçados e com o queixo nas mãos, enquanto o sujeitinho estranho e agitado, com sua cabeça alta e brilhante, baforava no meio, constrangido.

— Quando me determinei a entrar em contato com a senhorita — ele disse —, poderia ter-lhe dado meu endereço, mas temi que talvez desconsiderasse meu pedido e viesse acompanhada de pessoas desagradáveis. Tomei a liberdade, portanto, de marcar nossa reunião de tal maneira que meu homem, Williams, pudesse vê-las primeiro. Tenho total confiança no discernimento dele, e suas ordens, caso ele ficasse insatisfeito, eram de não prosseguir com o encontro. Vão me perdoar por essas precauções, mas sou um homem de caráter um tanto recluso, poderia até dizer refinado, e não existe nada mais antiestético do que um policial. Tenho aversão natural a todos os tipos de materialismo grosseiro. Raramente entro em contato com a chusma inculta. Vivo, como podem ver, com alguma atmosfera de elegância ao meu redor. Posso me considerar um patrono das artes. Essa é a minha fraqueza. A paisagem é um Corot genuíno, e embora um especialista possa talvez lançar dúvidas sobre aquele Salvator Rosa, não há absolutamente o que questionar quanto ao Bouguereau. Sou parcial à escola francesa moderna.

— Vai me desculpar, Sr. Sholto — disse a Srta. Morstan —, mas estou aqui a seu pedido para saber de algo que o senhor deseja me contar. Está muito tarde, e eu gostaria que a conversa fosse tão breve quanto possível.

— Na melhor das hipóteses, levará algum tempo — ele respondeu —; pois certamente precisamos ir para Norwood e ver o irmão Bartholomew. Iremos todos e tentaremos subjugá-lo. Ele está muito zangado comigo, porque segui o caminho que me parecia direito. Trocamos palavras muito ásperas noite passada. A senhorita não pode imaginar como ele é terrível quando está furioso.

— Se temos que ir para Norwood, talvez fosse bom partirmos já — arrisquei comentar.

Ele riu até ficar com as orelhas bem vermelhas.

— Isso seria difícil — ele exclamou. — Não sei o que ele diria se eu os levasse de maneira tão intempestiva. Não, preciso prepará-los, mostrando qual a nossa posição no caso. Em primeiro lugar, devo avisar que existem várias partes da história que eu mesmo ignoro. Só posso apresentar os fatos aos senhores até onde os conheço.

"Meu pai era, como talvez já tenham adivinhado, o major John Sholto, ex-oficial do exército indiano. Ele foi reformado há uns 11 anos e veio morar na Mansão Pondicherry, em Upper Norwood. Prosperara na Índia e trouxera consigo uma quantia considerável em dinheiro, uma grande coleção de valiosas curiosidades e uma criadagem nativa. Com esses recursos, ele comprou uma casa e vivia em meio ao luxo. Meu irmão gêmeo, Bartholomew, e eu éramos seus únicos filhos.

"Lembro-me muito bem da sensação causada pelo desaparecimento do capitão Morstan. Lemos os detalhes nos jornais e, sabendo que ele fora amigo de nosso pai, discutíamos o caso livremente na presença deste. Ele costumava se unir às nossas especulações sobre o que poderia ter acontecido. Nunca, nem por um instante, suspeitamos que ele tinha o segredo todo guardado em seu peito, que era o único a saber que fim levara Arthur Morstan.

"Mas nós sabíamos que algum mistério — algum perigo real — rondava o nosso pai. Ele tinha muito medo de sair sozinho e mantinha dois lutadores como guardiões da Mansão Pondicherry. Williams, que trouxe os senhores aqui hoje, era um deles. Já foi campeão inglês dos pesos-galo. Nosso pai nunca nos contou o que temia, mas tinha uma aversão notável a homens com pernas de pau. Numa ocasião, chegou a disparar seu revólver contra um homem sem uma perna, que provou ser um inócuo comerciante em busca de clientes. Tivemos que pagar uma cifra vultosa para acobertar o fato. Meu irmão e eu achávamos que isso fosse uma mera mania de papai, mas em seguida os acontecimentos nos levaram a mudar de opinião.

"No início de 1882, meu pai recebeu uma carta da Índia que foi um grande choque. Ele quase desmaiou à mesa do desjejum ao abri-la, e desde aquele dia, adoeceu até morrer. O que havia na carta, jamais conseguimos descobrir, mas enquanto a segurava, pude ver que era breve e escrita em garranchos. Ele sofria de hipertrofia do baço havia anos, mas depois disso piorou rapidamente, e no final de abril, fomos informados de que não havia mais esperança, e que ele desejava falar conosco pela última vez.

"Quando entramos em seu quarto, ele estava sentado, apoiado em travesseiros, ofegante. Pediu que trancássemos a porta e fôssemos para os lados da cama. Então, segurando nossas mãos, fez um discurso notável, numa voz embargada tanto pela emoção quanto pela dor. Tentarei reproduzi-lo em suas próprias palavras.

"'Só tenho uma coisa', ele disse, 'que oprime minha mente neste instante supremo: o modo como tratei a pobre órfã de Morstan. A maldita cobiça, que foi meu pecado constante por toda a vida, tolheu dela o tesouro que, ao menos metade, deveria ter-lhe pertencido. Ainda assim, eu mesmo não fiz uso dele, tão cega e tola é minha avarícia. A simples sensação de posse me era tão cara que eu não suportava a ideia de reparti-lo com mais alguém. Vejam aquele diadema de pérolas ao lado do vidro de quinino. Nem daquilo eu suportava me desfazer, embora o tivesse separado com o propósito de enviá-lo a ela. Vocês, meus filhos, darão a ela uma parte justa do tesouro de Agra. Mas não lhe mandem nada — nem mesmo o diadema — até que eu me vá. Afinal, já houve casos tão graves quanto o meu que foram curados.

"'Vou revelar como Morstan morreu', ele continuou. 'Havia anos que ele sofria de coração fraco, mas escondia isso de todos. Só eu sabia. Quando estávamos na Índia, ele e eu, graças a uma sequência admirável de circunstâncias, tomamos posse de um tesouro considerável. Eu o trouxe para a Inglaterra, e na noite da chegada de Morstan, ele veio diretamente para cá reivindicar a sua parte. Veio a pé da estação, e foi convidado a entrar pelo meu fiel Lal Chowdar, que já morreu. Morstan e eu tínhamos uma divergência de opinião quanto à divisão do tesouro, e logo começou uma exaltada altercação. Morstan saltava de sua poltrona num paroxismo de fúria quando repentinamente levou a mão ao flanco, com o rosto pálido, e caiu para trás, batendo a cabeça no canto do baú do tesouro. Quando me agachei ao seu lado descobri, para meu horror, que ele estava morto.

"'Por muito tempo fiquei semiatordoado, perguntando-me o que deveria fazer. Meu primeiro impulso foi, claro, pedir assistência; mas não podia deixar de pensar que muito provavelmente eu seria acusado do seu homicídio. Sua morte durante um desentendimento e o corte em sua cabeça seriam provas terríveis contra mim. Além disso, um inquérito oficial não poderia ser realizado sem trazer à tona certos fatos sobre o tesouro que eu estava particularmente ansioso para manter em segredo. Ele me dissera que ninguém no mundo sabia de seu paradeiro. Não parecia haver necessidade de vivalma vir a saber.

"'Eu ainda estava refletindo sobre a questão quando, erguendo os olhos, vi meu serviçal, Lal Chowdar, na porta. Ele entrou furtivamente e trancou a porta atrás de si'. 'Nada tema, *sahib*', ele disse. 'Ninguém precisa saber que o senhor o matou. Vamos escondê-lo, e quem vai descobrir?' 'Não o matei', eu disse. Lal Chowdar balançou a cabeça e sorriu. 'Eu ouvi tudo, *sahib*', ele retrucou. 'Ouvi a discussão e a pancada. Mas meus lábios estão selados. Todos dormem na casa. Vamos escondê-lo juntos.' Isso foi o suficiente para que eu decidisse. Se nem meu criado acreditava na minha inocência, como eu poderia esperar convencer doze populares simplórios num júri? Lal Chowdar e eu nos livramos do corpo naquela noite, e depois de alguns dias, todos os jornais de Londres comentavam o misterioso desaparecimento do capitão Morstan. Vocês veem, pelo que estou contando, que não posso levar a culpa pelo que aconteceu. Minha culpa reside no fato de que não só ocultamos o cadáver, mas também o tesouro, e que eu fiquei com a parte de Morstan, além da minha. Desejo que vocês, portanto, procedam à compensação. Encostem os ouvidos na minha boca. O tesouro está escondido em...'

"Naquele instante, uma mudança horrível acometeu sua expressão; seus olhos se arregalaram tresloucadamente, seu queixo caiu e ele gritou, numa voz que jamais conseguirei esquecer: 'Não o deixem entrar! Pelo amor de Cristo, não o deixem entrar!' Ambos nos viramos e fitamos a janela atrás de nós, para onde seu olhar se dirigia. Um rosto nos olhava da escuridão lá fora. Podíamos ver seu nariz esbranquiçado, por estar comprimido contra a vidraça. Era um rosto barbudo e cabeludo, com olhos loucos e cruéis e uma expressão de malevolência concentrada. Meu irmão e eu corremos para a janela, mas o homem se fora. Quando voltamos para perto de meu pai, sua cabeça estava caída e seu coração havia parado de bater.

"Vasculhamos o jardim naquela noite, mas não encontramos nenhum sinal do intruso, a não ser uma única pegada que era visível bem embaixo da janela, num canteiro de flores. Se não fosse por aquele indício, poderíamos supor que aquele rosto ensandecido e feroz fosse fruto de nossa imaginação. Em breve, porém, tivemos outra prova mais impactante de que entidades ocultas estavam em ação ao nosso redor. A janela do quarto do meu pai foi encontrada aberta pela manhã, seus arquivos e caixas revirados, e sobre seu peito havia um pedaço de papel rasgado com as palavras 'O signo dos quatro' rabiscadas. O que essa expressão significava, ou quem poderia ser nosso visitante secreto, nunca ficamos sabendo. Até onde pudemos avaliar, nenhum dos pertences do meu pai fora roubado, embora tudo tivesse sido revirado. Meu irmão e eu, naturalmente, associamos esse incidente peculiar ao medo que assombrara meu pai por toda a sua vida; ainda assim, é um completo mistério para nós."

O homenzinho parou para acender novamente seu narguilé e bafourou, pensativo, por alguns momentos. Todos ficáramos absortos, acompanhando sua extraordinária narrativa. Durante o breve relato da morte de seu pai, a Srta. Morstan se fizera mortalmente pálida, e por um momento temi que fosse desmaiar. Recuperou-se, no entanto, bebendo um copo d'água que enchi discretamente para ela, lançando mão da jarra veneziana sobre o aparador. Sherlock Holmes afundou em sua poltrona com uma expressão distante e as pálpebras pesando sobre seus olhos reluzentes. Ao olhá-lo, não pude deixar de lembrar como, naquele mesmo dia, ele se queixara amargamente da banalidade da vida. Ali, pelo menos, estava um problema que poria toda a sua sagacidade à prova. O Sr. Thaddeus Sholto correu os olhos entre nós, com orgulho óbvio pelo efeito que sua história produzira, e então continuou, entre baforadas de seu cachimbo descomunal.

— Meu irmão e eu — ele disse — ficamos, como podem imaginar, muito empolgados com relação ao tesouro do qual meu pai falara. Por semanas e meses cavamos e prospectamos toda parte do jardim, sem descobrir seu paradeiro. Era enlouquecedor pensar que o esconderijo quase havia sido revelado no momento em que ele morrera. Podíamos avaliar o esplendor das riquezas ocultas com base no diadema que ele tirara de lá. Esse diadema foi o pomo de uma certa discórdia entre mim e meu irmão, Bartholomew. As pérolas, evidentemente, eram de grande valor, e ele relutava em se desfazer delas, pois, cá entre nós, meu irmão também tinha um certo pendor para o mesmo defeito do meu pai. Além disso, ele achava que se nos desfizéssemos do diadema, a coisa suscitaria mexericos e acabaria por nos trazer problemas. O máximo que consegui foi persuadi-lo a me deixar descobrir o endereço da Srta. Morstan e lhe enviar as pérolas uma a uma em intervalos regulares, para que ao menos ela nunca passasse necessidades.

— Foi uma ideia gentil — disse nossa acompanhante com sinceridade. — Foi extrema bondade sua.

O homenzinho agitou a mão depreciativamente.

— Nós éramos seus depositários — ele disse. — Essa era a minha visão, embora o irmão Bartholomew não conseguisse ver a coisa por esse ângulo. Já tínhamos muito dinheiro. Eu não desejava mais. Além disso, teria sido de tão péssimo gosto tratar uma jovem tão escorbuticamente. *Le mauvais goût mène au crime.** Os franceses têm um ótimo modo de ver essas coisas. Nossa diferença de opinião sobre o assunto chegou a tal ponto que achei melhor procurar outra residência; por isso saí da Mansão Pondicherry, levando o velho *khitmutgar* e Williams comigo. Ontem, todavia, fiquei sabendo que um fato de extrema importância aconteceu. O tesouro foi descoberto. Entrei em contato incontinenti com a Srta. Morstan, e só nos resta irmos até Norwood e exigir a nossa parte. Eu expliquei meu ponto de vista ontem ao irmão Bartholomew, portanto, nossa visita é esperada, ainda que não bem-vinda.

O Sr. Thaddeus Sholto se calou e ficou se retorcendo em seu luxuoso sofá. Todos permanecemos em silêncio, refletindo sobre esse novo desdobramento no misterioso caso. Holmes foi o primeiro a ficar de pé.

— O senhor agiu bem do início ao fim — ele disse. — É possível que talvez o compensemos modestamente lançando alguma luz sobre os pontos que ainda lhe são obscuros. Mas, como a Srta. Morstan acabou de comentar, está tarde e é melhor que cuidemos do assunto sem demora.

---
* "O mau gosto leva ao crime". Em francês no original. (N. T.)

Nosso novo conhecido enrolou o tubo de seu narguilé muito deliberadamente e tirou de trás de uma cortina um sobretudo adereçado com muitos botões e gola e punhos de astracã. Ele o abotoou até em cima, apesar da noite estar extremamente abafada, e deu o toque final na indumentária metendo na cabeça um gorro de pele de coelho com abas que cobriam as orelhas, de modo que nenhuma parte do seu corpo era visível, salvo seu rosto agitado e pálido.

— Minha saúde é algo frágil — ele comentou, enquanto nos conduzia pela passagem. — Sou compelido a me considerar um valetudinário.

Nossa carruagem esperava lá fora, e nosso itinerário, evidentemente, já fora planejado, porque o condutor partiu sem demora em alta velocidade. Thaddeus Sholto falava sem parar, com uma voz que se elevava acima do estardalhaço das rodas.

— Bartholomew é um sujeito esperto — ele disse. — Como acham que descobriu onde estava o tesouro? Ele chegou à conclusão de que a fortuna se encontrava em algum lugar dentro da casa, por isso calculou toda a capacidade da mansão, tirando medidas por toda parte, de modo que nem um só centímetro cúbico ficasse de fora. Entre outras coisas, descobriu que a construção tinha 22,5 metros de altura, mas ao somar os pés-direitos de todos os andares, levando em conta todos os espaços intermediários, que mediu fazendo perfurações, não chegou a um total superior a 21 metros. Faltava um metro e meio. Esse espaço só poderia estar no topo do edifício. Ele abriu um buraco, portanto, no forro do último andar, e ali, de fato, encontrou uma pequena água-furtada, que havia sido lacrada e da qual ninguém sabia. No meio dela estava o baú do tesouro, apoiado em duas vigas. Ele o trouxe para baixo pelo buraco, onde o deixou. Calculou que o valor das joias não era inferior a meio milhão de libras esterlinas.

Ao ouvir aquela cifra gigantesca, todos nos entreolhamos, de olhos arregalados. A Srta. Morstan, se conseguíssemos fazer valer seus direitos, passaria de governanta necessitada a herdeira mais rica da Inglaterra. Certamente, um amigo leal deveria rejubilar-se ante tais novas; no entanto, envergonha-me confessar que o egoísmo se apossou de minh'alma, e meu coração pareceu pesar como chumbo em meu peito. Balbuciei algumas palavras rotas de congratulação e fiquei cabisbaixo, arrasado, surdo para a tagarelice de nosso novo conhecido. O sujeito era sem sombra de dúvida hipocondríaco, e eu tinha vaga consciência de que ele estava despejando listas intermináveis de sintomas e implorando informações sobre a composição e efeitos de inumeráveis poções charlatanescas, algumas das quais carregava num estojo de couro no bolso. Acredito que ele não deva se lembrar de nenhuma das respostas que lhe dei naquela noite. Holmes garante que me ouviu alertá-lo sobre o enorme perigo de ingerir mais de duas gotas de óleo de rícino, ao passo que recomendei a estricnina em grandes doses como sedativo. Fosse como fosse, certamente fiquei aliviado quando nossa carruagem parou com um solavanco e o cocheiro desceu para abrir a porta.

— Esta, Srta. Morstan, é a Mansão Pondicherry — disse o Sr. Thaddeus Sholto, enquanto a ajudava a descer.

cinco
A TRAGÉDIA DA MANSÃO PONDICHERRY

Eram quase 23 horas quando chegamos a essa etapa final das nossas aventuras noturnas. Deixáramos o nevoeiro úmido da grande cidade para trás, e a noite estava assaz amena. Um vento tépido soprava do oeste, e nuvens pesadas cruzavam lentamente o céu, com a lua minguante espiando ocasionalmente pelas fendas. A claridade bastava para enxergar a uma certa distância, mas Thaddeus Sholto removeu uma das lanternas laterais da carruagem para melhor iluminar nosso caminho.

A Mansão Pondicherry ficava num terreno amplo e era rodeada por um muro de pedra muito alto com cacos de vidro. Uma porta simples e estreita, reforçada com ferro, era a única via de acesso. Nosso guia bateu nela com o tamborilar peculiar de um carteiro.

— Quem está aí? — perguntou uma voz mal-humorada lá de dentro.

— Sou eu, McMurdo. Certamente já me conhece pela batida.

Ouvimos um resmungo e chaves tilintando e raspando. A porta se abriu lentamente e um homem de baixa estatura e peito largo apareceu, com a luz amarela da lanterna brilhando sobre seu rosto saliente e seus olhos cintilantes e desconfiados.

— É o Sr. Thaddeus? Mas quem são os outros? O patrão não deu ordem nenhuma com relação a eles.

— Não, McMurdo? Você me surpreende! Avisei ao meu irmão noite passada que traria alguns amigos.

— Ele nem saiu do quarto hoje, Sr. Thaddeus, e eu não tenho ordem nenhuma. O senhor sabe muito bem que devo seguir as regras. Posso deixá-lo entrar, mas seus amigos devem ficar onde estão.

Aquele era um obstáculo inesperado. Thaddeus Sholto olhou ao redor com ar perplexo e impotente.

— É muita maldade sua, McMurdo! — ele disse. — A minha garantia é o bastante para você. E há a jovem madame também. Ela não pode esperar numa via pública a esta hora.

— Sinto muito, Sr. Thaddeus — disse o porteiro, inexorável. — Essa gente pode ser amiga sua e não ser amiga do patrão. Ele paga bem o meu serviço, e eu vou fazê-lo. Não conheço nenhum dos seus amigos.

— Ah, conhece sim, McMurdo — exclamou Sherlock Holmes amigavelmente. — Acho que não poderia ter-me esquecido. Não se lembra daquele amador que lutou três assaltos com você na pensão de Alison, na noite do seu evento beneficente, quatro anos atrás?

— Se não é o Sr. Sherlock Holmes! — rugiu o lutador. — Em nome de Deus! Como é que não reconheci o senhor! Se em vez de ficar parado aí, quietinho, tivesse me dado aquele seu cruzado no queixo, eu iria me lembrar na hora. Ah, o senhor é um talento desperdiçado! Poderia ter mirado alto se tivesse entrado para o mundo da luta.

— Viu, Watson, se nada mais der certo, ainda me restará uma das profissões científicas — disse Holmes rindo. — Tenho certeza de que agora nosso amigo não nos deixará aqui no frio.

— Podem entrar, senhor, podem entrar; o senhor e seus amigos — ele respondeu. — Lamento muito, Sr. Thaddeus, mas as ordens foram bem claras. Eu precisava ter certeza quanto aos seus amigos antes de permitir a entrada.

Lá dentro, um caminho de brita serpenteava através de um terreno desolado até um grande casarão, quadrado e sem graça, todo mergulhado na escuridão, a não ser por um raio de luar que iluminava um canto e era refletido pela vidraça de uma lucarna. A enorme dimensão do edifício, seu ar sombrio e seu silêncio mortal gelavam-nos o coração. Até Thaddeus Sholto parecia pouco à vontade, e a lanterna tremia e tilintava em sua mão.

— Não consigo entender — ele dizia. — Deve ter havido algum engano. Avisei claramente Bartholomew que viríamos, no entanto, não há luz em sua janela. Não sei o que pensar.

— Ele sempre vigia a propriedade dessa maneira? — perguntou Holmes.

— Sim; segue os costumes do meu pai. Ele era o filho favorito, sabe, e às vezes acho que meu pai contava mais coisas a ele do que jamais me contou. Aquela é a janela de Bartholomew, onde o luar está batendo. Está bem visível, mas acho que não tem luz nenhuma lá dentro.

— Nenhuma — disse Holmes. — Mas vi o brilho de uma lanterna naquela janelinha ao lado da porta.

— Ah, aquele é o quarto da governanta. É ali que a velha Sra. Bernstone fica. Ela poderá nos contar tudo. Mas talvez os senhores não se importem de esperar aqui por um ou dois minutos? Porque se entrarmos todos juntos, sem que ela esteja sabendo, pode ficar alarmada. Mas, silêncio! O que é isso?

Ele levantou a lanterna, e sua mão tremeu, fazendo o círculo de luz bruxulear e dançar ao nosso redor. A Srta. Morstan segurou meu pulso com força, e ficamos todos imóveis, com os corações disparados, aguçando os ouvidos. Do grande casarão negro partia, através da noite silenciosa, o mais triste e penoso dos sons — o gemido agudo e soluçante de uma mulher apavorada.

— É a Sra. Bernstone — Sholto disse. — Ela é a única mulher na casa. Esperem aqui. Volto num instante. — Ele correu até a porta e bateu do seu modo peculiar. Pudemos ver uma senhora alta fazendo-o entrar e curvando-se de prazer ao vê-lo.

— Oh, Sr. Thaddeus, que bom que chegou! Estou tão feliz em vê-lo, Sr. Thaddeus!

Ouvimos reiteradas expressões de júbilo, até que a porta se fechou e a voz monótona e abafada foi sumindo.

Nosso guia deixara a lanterna conosco. Holmes a girou devagar e olhou atentamente para a casa e para os grandes montes de entulho que atravancavam o terreno. A Srta. Morstan e eu ficamos próximos, e sua mão estava na minha. Que coisa maravilhosa e sutil é o amor, pois lá estávamos nós dois, que nunca tínhamos nos visto antes daquele dia, sem ter trocado uma palavra ou mesmo um olhar de afeição, e no entanto, na hora do perigo, nossas mãos instintivamente se procuraram. Admirei-me com isso depois, mas naquele momento pareceu a coisa mais natural abordá-la dessa forma, e, como me disse muitas vezes, ela também sentiu o instinto de recorrer a mim, buscando conforto e proteção. Assim ficamos, de mãos dadas feito duas crianças, e havia paz em nossos corações, apesar de todas as coisas sombrias que nos cercavam.

— Que lugar estranho! — ela disse, olhando ao redor.

— Parece que todas as toupeiras da Inglaterra foram soltas aqui. Já vi algo parecido numa encosta perto de Ballarat, depois de um serviço de prospecção geológica.

— E aqui o motivo é o mesmo — disse Holmes. — Estes são rastros de caçadores de tesouros. Lembre-se, eles o procuraram por seis anos. Não admira que o terreno pareça um garimpo.

Naquele momento, a porta da casa foi escancarada e Thaddeus Sholto saiu correndo, com as mãos erguidas e terror nos olhos.

— Há algo errado com Bartholomew! — ele exclamou. — Estou apavorado! Meus nervos não vão suportar.

Ele estava, de fato, quase delirante de medo, e seu rosto agitado e débil, metido naquela enorme gola de astracã, tinha a expressão indefesa e suplicante de uma criança aterrorizada.

— Entrem na casa — disse Holmes, com seu tom ríspido e firme.

— Sim, entrem! — implorou Thaddeus Sholto. — Realmente não me sinto em condições de dar ordens.

Todos o seguimos até o quarto da governanta, que ficava à esquerda da passagem. A velha senhora estava andando de um lado para o outro com expressão assustada e inquieta, mexendo nos dedos, mas a visão da Srta. Morstan pareceu ter um efeito calmante sobre ela.

— Que Deus abençoe seu rosto doce e tranquilo! — ela exclamou com um soluço histérico. — Sinto-me bem de ver a senhora. Oh, mas eu sofri penas amargas hoje!

Nossa acompanhante afagou a mão magra e calejada da mulher e murmurou algumas palavras gentis e femininas de conforto que trouxeram a cor de volta para as bochechas pálidas da outra.

— O patrão está trancado no quarto e não responde — ela explicou. — Fiquei o dia todo esperando que me chamasse, pois é comum que prefira ficar sozinho; mas uma hora atrás, temi que algo tivesse acontecido, por isso fui até lá e espiei pelo buraco da fechadura. O senhor precisa subir lá, Sr. Thaddeus; precisa subir e ver por si mesmo. Já vi o Sr. Bartholomew Sholto na alegria e na tristeza por dez longos anos, mas nunca o vi com uma expressão como aquela.

Sherlock Holmes pegou a lanterna e foi na frente, porque os dentes de Thaddeus Sholto batiam incontrolavelmente. Ele estava tão abalado que precisei segurá-lo pelo braço enquanto subíamos a escada, já que seus joelhos tremiam. Por duas vezes, durante a subida, Holmes sacou sua lupa do bolso e examinou cuidadosamente marcas que me pareciam meros ciscos sem forma no capacho marrom que cobria a escada. Ele subiu os degraus lentamente, com a lanterna baixa, lançando olhares atentos à direita e à esquerda. A Srta. Morstan ficara para trás, com a governanta assustada.

O terceiro lance de escadas terminava numa passagem estreita e um tanto longa, com uma grande tapeçaria indiana à direita e três portas à esquerda. Holmes avançou por ela da mesma forma lenta e metódica, enquanto nós o seguíamos de perto, com nossas longas sombras negras se estendendo atrás de nós pelo corredor. A terceira porta era a que procurávamos.

Holmes bateu sem obter resposta, e então tentou virar a maçaneta e abri-la. Porém, ela estava trancada por dentro com um trinco largo e resistente, como pudemos ver ao encostarmos a lanterna. No entanto, como a chave estava virada, o buraco não estava totalmente obstruído. Sherlock Holmes se agachou, olhou e endireitou instantaneamente o corpo, inspirando com força.

— Há algo diabólico nisto, Watson — ele disse, mais agitado do que eu jamais o vira. — O que você acha?

Olhei pelo buraco e me encolhi, horrorizado. O luar inundava o quarto, que estava iluminado por um brilho tênue e inconstante. Olhando diretamente para mim e suspenso, ao que parecia, no ar, pois atrás dele tudo estava nas sombras, havia um rosto — idêntico ao do nosso colega Thaddeus. Lá estavam a mesma careca alta e brilhante, a mesma coroa de tufos de cabelo ruivo, o mesmo semblante emaciado. O rosto estava, todavia, imobilizado num sorriso horrível, um esgar congelado e artificial, que naquele quarto silencioso e banhado pelo luar era mais enervante do que qualquer expressão de fúria ou de dor. O rosto era tão semelhante ao do nosso amiguinho que eu olhei para trás, para me assegurar de que ele continuava conosco. Então lembrei que Thaddeus mencionara que o irmão e ele eram gêmeos.

— Isso é terrível! — eu disse a Holmes. — O que podemos fazer?

— A porta precisa ser arrombada — ele respondeu e, encostando nela, jogou todo o seu peso sobre a fechadura.

Ela estalou e rangeu, mas não cedeu. Juntos, nos atiramos contra ela novamente, dessa vez fazendo com que se abrisse com um estrondo súbito, e nos encontramos nos aposentos de Bartholomew Sholto.

O cômodo parecia ter sido equipado como um laboratório químico. Uma fileira dupla de frascos com tampas de vidro cobria a parede diante da porta, e a mesa estava tomada por bicos de Bunsen, tubos de ensaio e retortas. Havia garrafas de ácido em cestos de palha pelos cantos. Uma delas parecia estar vazando ou quebrada, pois um fio de líquido escuro saía dela, e o ar pesava com um odor peculiar e pungente de alcatrão. Uma escada de mão estava encostada numa parede, em meio a detritos de estuque e reboco, e acima dela havia uma abertura no forro, larga o suficiente para permitir a passagem de um homem. Ao pé da escada, um longo rolo de corda estava amontoado descuidadamente.

À mesa, numa cadeira de braço de madeira, o dono da casa estava jogado, com a cabeça apoiada no ombro esquerdo e aquele sorriso pavoroso e inescrutável no rosto. Estava rígido e frio, evidentemente morto havia várias horas. Parecia-me que não só seu semblante, mas também seus membros estivessem retorcidos e virados da maneira mais fantástica. Perto da sua mão, sobre a mesa, havia um instrumento peculiar — um bastão marrom e robusto, com uma cabeça de pedra como a de um martelo, atada rusticamente a ele com um barbante áspero. Ao seu lado havia uma folha rasgada de caderno com algumas palavras rabiscadas. Holmes a olhou e me entregou.

— Você vê — ele disse, erguendo significativamente as sobrancelhas.

À luz da lanterna li, com um calafrio de horror: "O signo dos quatro".

— Em nome de Deus, o que significa tudo isso? — perguntei.

— Significa assassinato — ele disse, curvando-se sobre o cadáver. — Ah, como eu esperava. Veja aqui!

Ele apontou para o que parecia um espinho longo e escuro espetado na pele do homem, logo acima da orelha.

— Parece um espinho — eu disse.

— É um espinho. Pode puxá-lo. Mas com cautela, porque está envenenado.

Eu o segurei com dois dedos. Ele saiu da pele tão facilmente que quase não ficou nenhuma marca. Um pontinho de sangue se formou no lugar do furo.

— Tudo isso é um mistério insolúvel para mim — eu disse. — Fica cada vez mais obscuro, em vez de se esclarecer.

— Pelo contrário — ele respondeu —, fica mais claro a cada instante. Só me faltam alguns poucos elos para ter um caso totalmente concatenado.

Quase nos esquecêramos da presença do nosso colega, depois de entrar no quarto. Ele continuava parado à porta, o próprio retrato do terror, torcendo as mãos e gemendo baixinho. De repente, porém, lançou um grito agudo e lamentoso.

— O tesouro sumiu! — ele disse. — Roubaram o tesouro dele! Lá está o buraco por onde ele o baixou. Eu o ajudei! Fui a última pessoa que esteve com ele! Eu o deixei aqui ontem à noite e o ouvi trancar a porta enquanto descia.

— A que horas foi isso?

— Eram 22 horas. E agora ele está morto, a polícia vai ser chamada e vão suspeitar que tive algo a ver com isso. Ah, sim, tenho certeza de que vão. Mas vocês não pensam assim, cavalheiros? Certamente não acham que fui eu? Acham que eu os traria aqui, se fosse o culpado? Oh, céus! Oh, céus! Vou enlouquecer, eu sei que vou! — Ele agitava os braços e batia os pés, numa espécie de frenesi convulsivo.

— Não tem nada a temer, Sr. Sholto — disse Holmes gentilmente, pondo a mão no ombro dele. — Aceite o meu conselho, vá até a delegacia e denuncie o caso à polícia. Ofereça-lhes toda a assistência possível. Esperaremos aqui até que volte.

O homenzinho obedeceu, meio estupefato, e o ouvimos cambaleando escada abaixo no escuro.

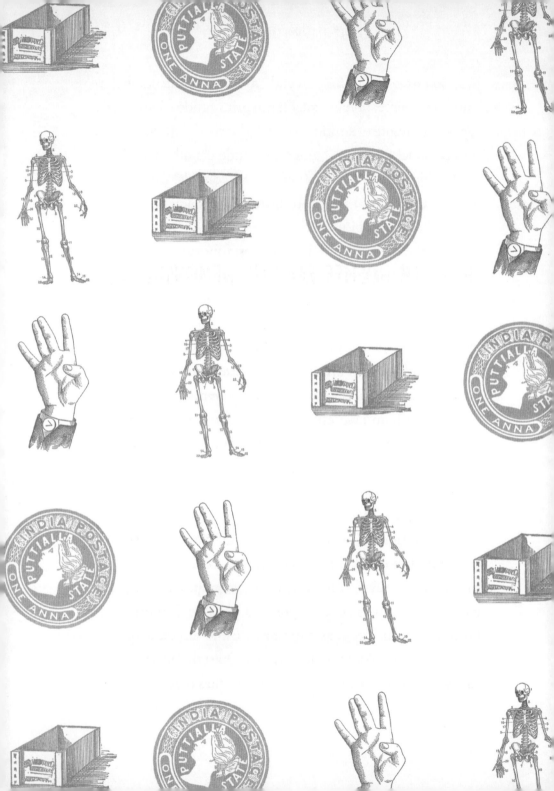

seis
SHERLOCK HOLMES FAZ UMA DEMONSTRAÇÃO

— Bem, Watson — disse Holmes, esfregando as mãos —, temos meia hora só para nós. Façamos bom uso dela. Meu entendimento do caso está, como eu disse, quase completo; mas não podemos errar por excesso de autoconfiança. Por mais simples que o caso pareça agora, pode haver algo mais profundo por trás dele.

— Simples! — exclamei.

— Certamente — ele disse, com algo parecido com o ar de um professor de medicina clínica dando uma explicação à sua classe. — Sente-se naquele canto, para que suas pegadas não compliquem as coisas. Agora, ao trabalho! Em primeiro lugar, como essas pessoas entraram e como saíram daqui? A porta não é aberta desde ontem à noite. Que tal a janela? — Ele carregou a lanterna até lá, resmungando suas observações em voz alta enquanto o fazia, mas falando mais consigo mesmo do que comigo. — A janela está travada por dentro. O caixilho é robusto. Nenhuma dobradiça na lateral. Vamos abri-la. Nenhum cano por perto. Telhado bem fora do alcance. No entanto, um homem subiu até esta janela. Choveu um pouco noite passada. Aqui está a pegada de um pé enlameado na sacada. E aqui está uma marca de lama circular, e também aqui no chão, e novamente aqui perto da mesa. Veja, Watson! Esta é realmente uma bela demonstração.

Olhei para aqueles discos de lama redondos e bem definidos.

— Isso não é uma pegada — eu disse.

— É algo muito mais valioso para nós. É a marca de uma perna de pau. Veja que aqui na sacada está a marca da bota, uma bota pesada, com salto largo de metal, e ao lado dela, a marca da ponta da perna de pau.

— É o homem da perna de pau.

— Exatamente. Mas havia mais alguém; um aliado muito ágil e eficiente. Você seria capaz de escalar este muro, doutor?

Eu olhei pela janela aberta. A lua ainda brilhava intensamente daquele lado da casa. Estávamos a uns bons 18 metros do chão, e por mais que eu olhasse, não encontrava nenhum apoio para os pés, nem mesmo uma trinca na parede.

— É absolutamente impossível — respondi.

— Sem ajuda, realmente é. Mas suponha que você tivesse um amigo aqui em cima que lhe baixasse essa bela corda robusta que vejo aqui no canto, amarrando uma ponta dela a este grande gancho na parede. Então, imagino, se você estivesse em forma, poderia subir pela corda, mesmo com a perna de pau. Você sairia daqui, naturalmente, à mesma maneira, e seu aliado puxaria a corda, soltaria a ponta presa no gancho, fecharia a janela, travaria por dentro e sairia pelo mesmo lugar por onde entrou. Como um detalhe menor, pode-se notar — ele continuou, apontando a corda — que nosso amigo da perna de pau, embora exímio escalador, não era um marujo profissional. Suas mãos estavam longe de serem calejadas. Minha lupa revelou mais de uma mancha de sangue, especialmente perto do fim da corda, pelo que suponho que ele desceu por ela com tal velocidade que arrancou pele das mãos.

— Tudo isso é muito bom — eu disse —; mas a coisa fica mais incompreensível do que nunca. E esse aliado misterioso? Como ele entrou no quarto?

— Sim, o aliado! — repetiu Holmes, pensativo. — Esse aliado tem características de interesse. Ele tira o caso da província do lugar-comum. Imagino que esse aliado represente uma inovação nos anais do crime neste país; embora minha memória sugira casos paralelos na Índia e, se bem me lembro, na Senegâmbia.

— Como ele entrou, então? — reiterei. — A porta está trancada; a janela é inacessível. Foi pela chaminé?

— A grade é estreita demais — ele respondeu. — Já considerei essa possibilidade.

— Como, então? — persisti.

— Você não aplica o meu preceito — ele disse, balançando a cabeça. — Quantas vezes já falei que quando você elimina o impossível, o que resta, *por mais improvável que seja*, deve ser a verdade? Sabemos que ele não entrou pela porta, nem pela janela, nem pela chaminé. Também sabemos que ele não poderia estar escondido no quarto, pois não existe esconderijo possível. De onde, então, ele veio?

— Entrou pelo buraco no forro — exclamei.

— Naturalmente. Deve ter sido assim. Se fizer a gentileza de segurar a lanterna para mim, agora estenderemos nossas pesquisas ao compartimento superior; a câmara secreta na qual o tesouro foi encontrado.

Ele subiu pela escada e, segurando-se nas vigas com as mãos, içou-se para a água-furtada. Então, deitado de bruços, estendeu a mão para pegar a lanterna e a segurou, enquanto eu o seguia.

A câmara onde nos encontrávamos media aproximadamente três metros por dois. O chão era formado pelas vigas, com um fino estuque entre elas, e para andar, era necessário pisar apenas nas vigas. As águas se juntavam num cume, e aquele era evidentemente o interior do telhado propriamente dito da casa. Não havia mobília de espécie alguma, e anos de pó acumulado formavam uma grossa camada sob nossos pés.

— Aí está, veja bem — disse Sherlock Holmes, apoiando a mão na parede inclinada. — Este é um alçapão que dá acesso ao teto. Posso baixá-lo, e aí está o telhado, com uma suave inclinação. Foi por aqui, portanto, que o Número Um entrou. Vamos ver se conseguimos encontrar algum outro indício de sua individualidade?

Ele baixou a lanterna até o chão, e quando o fez, pela segunda vez vi um ar sobressaltado e surpreso tomar seu rosto. Eu mesmo, ao seguir seu olhar, senti minha pele esfriando por baixo da roupa. O chão estava cheio de pegadas de um pé descalço — claro, bem definido, perfeitamente formado, mas com apenas metade do tamanho do pé de um homem normal.

— Holmes — eu disse num sussurro —, uma criança cometeu esse ato horrendo.

Ele recuperara seu autocontrole num instante.

— Fiquei aturdido por um momento — ele disse —, mas a coisa é bastante natural. Minha memória falhou, ou eu teria sido capaz de prevê-la. Não há mais nada a se saber aqui. Desçamos.

— Qual sua teoria, então, para essas pegadas? — perguntei ansiosamente, depois que retornamos ao cômodo inferior.

— Meu caro Watson, tente você também analisar um pouco — ele disse, com um toque de impaciência. — Você conhece meus métodos. Aplique-os, e será instrutivo comparar resultados.

— Não posso imaginar nada que explique os fatos — respondi.

— Logo ficará claro para você — ele disse com ar displicente. — Acho que não há mais nada importante aqui, mas vou verificar.

Ele sacou sua lupa e uma fita métrica e perambulou pelo quarto de joelhos, medindo, comparando, examinando, com seu nariz longo e fino a poucos centímetros das tábuas e seus olhinhos brilhantes e fundos como os de um pássaro. Tão céleres, silenciosos e furtivos eram seus movimentos, como os de um sabujo treinado seguindo um rastro, que não pude deixar de imaginar o criminoso terrível que ele seria se tivesse voltado sua energia e sagacidade contra a lei, em vez de exercê-las em sua defesa. Enquanto vasculhava, ficava resmungando sozinho, e finalmente explodiu num sonoro crocitar deliciado.

— Estamos mesmo com sorte — ele disse. — Acredito que agora teremos poucos problemas. O Número Um teve o infortúnio de pisar no creosoto. É possível observar o contorno do seu pezinho aqui, ao lado desta gosma de cheiro vil. A garrafa rachou, como vê, e a substância vazou.

— E daí? — perguntei.

— Ora, daí que o pegamos, só isso — ele disse. — Conheço um cão capaz de seguir esse cheiro até o fim do mundo. Se uma matilha consegue seguir um arenque arrastado por toda uma aldeia, até onde um sabujo especialmente treinado não poderá seguir um odor tão pungente assim? Parece-me tão claro quanto a regra de três. A resposta deve nos dar... Mas veja! Aí vêm os representantes oficiais da lei.

Passos pesados e o clamor de vozes sonoras se fizeram audíveis do andar de baixo, e a porta da entrada se fechou com um estrondo violento.

— Antes que eles cheguem — disse Holmes —, ponha a mão aqui no braço deste pobre sujeito e aqui na sua perna. O que você sente?

— Os músculos estão duros como tábuas — respondi.

— Deveras. Conservam um estado de extrema contração, muito além do costumeiro *rigor mortis*. Juntamente com essa distorção do rosto, esse sorriso hipocrático, ou *risus sardonicus*, como os autores antigos o chamavam, que conclusão isso sugere à sua mente?

— Morte por algum poderoso alcaloide vegetal — respondi —, alguma substância análoga à estricnina, capaz de produzir tétano.

— Foi o que me ocorreu assim que vi os músculos retesados do seu rosto. Ao entrar no quarto, imediatamente procurei o meio pelo qual o veneno entrara no sistema. Como você viu, descobri um espinho que foi espetado ou lançado sem muita força contra o seu escalpo. Você observará que a região atingida seria aquela que estaria virada para o buraco no forro, caso o homem estivesse sentado com o tronco ereto na poltrona. Agora, examine o espinho.

Eu o peguei com cuidado e o aproximei da luz da lanterna. Era longo, afiado e preto, com um aspecto lustroso perto da ponta, como se alguma substância pegajosa tivesse secado sobre ele. A ponta menos afiada havia sido aparada e arredondada com uma faca.

— É um espinho inglês? — Ele perguntou.

— Não, certamente não é.

— De todos esses dados você deveria ser capaz de tirar alguma inferência justa. Mas aí vem a polícia oficial, portanto, as forças auxiliares devem bater em retirada.

Enquanto ele falava, os passos que se aproximavam se ouviram ruidosos na passagem, e um homem muito atarracado e robusto, de terno cinza, entrou pesadamente no quarto. Tinha rosto avermelhado, inchado e sanguíneo, com um par de olhinhos brilhantes que tudo fitavam atentamente em meio a olheiras inchadas e túrgidas. Ele era seguido de perto por um inspetor em uniforme e pelo ainda sobressaltado Thaddeus Sholto.

— Que situação! — ele exclamou com voz abafada e roufenha. — Que bela situação! Mas quem são todos esses? Ora, a casa parece mais cheia do que um criadouro de coelhos!

— Acho que deve se lembrar de mim, Sr. Athelney Jones — disse Holmes em voz baixa.

— Mas é claro que sim! — ele disse, ofegante. — É o Sr. Sherlock Holmes, o teórico. Lembrar! Jamais vou esquecer o sermão que nos deu sobre causas, inferências e efeitos no caso da joia de Bishopgate. É verdade que nos colocou na pista certa; mas vai admitir, agora, que foi mais por sorte do que por boa orientação.

— Foi um raciocínio muito simples.

— Ora, ora, vamos! Nunca se envergonhe de admitir algo. Mas o que é isso tudo? Péssima situação! Péssima situação! Fatos concretos aqui; sem espaço para teorias. Que sorte eu estar em Norwood, investigando outro caso! Eu estava na chefatura quando a mensagem chegou. Qual o senhor acha que foi a causa mortis?

— Oh, este não é o tipo de caso adequado para minhas teorias — disse Holmes secamente.

— Não, não é. Ainda assim, não podemos negar que o senhor acerta na mosca, às vezes. Céus! Porta trancada, pelo que eu soube. Joias no valor de meio milhão desaparecidas. Como estava a janela?

— Travada; mas há pegadas do lado de fora.

— Bem, bem, se estava travada, as pegadas não podem ter nada a ver com o caso. Isso é senso comum. O homem pode ter morrido de algum mal súbito; por outro lado, as joias desapareceram. Ha! Tenho uma teoria. Esses clarões me vêm às vezes. Saia um pouco, sargento, e o senhor também, Sr. Sholto. Seu amigo pode ficar. O que acha disto, Holmes? Sholto estava, conforme confessou, com o irmão noite passada. O irmão morreu de um mal súbito, depois do que Sholto fugiu com o tesouro. Que tal?

— Depois do que, muito consideradamente, o morto se levantou e trancou a porta por dentro.

— Hum! Há uma falha aí. Apliquemos o senso comum ao caso. Esse Thaddeus Sholto estava com o irmão; houve uma altercação: até aí nós sabemos. O irmão está morto e as joias sumiram. Isso também sabemos. Ninguém viu o irmão depois que Thaddeus o deixou. Sua cama não está desarrumada. Thaddeus, evidentemente, está sofrendo de grande perturbação. Sua aparência é... bem, não é atraente. Veja bem que estou tecendo minha teia ao redor de Thaddeus. A teia começa a se fechar sobre ele.

— O senhor ainda não está de posse dos fatos — disse Holmes. — Esta farpa de madeira, que tenho todos os motivos para crer que está envenenada, foi encontrada no escalpo do homem, no lugar onde ainda pode-se ver sua marca; este cartão, com uma inscrição, como pode observar, estava sobre a mesa, e ao lado dele encontrava-se este curioso instrumento de pedra. Como tudo isso se encaixa em sua teoria?

— Confirmando-a em todos os aspectos — disse o detetive gorducho pomposamente. — A casa está cheia de curiosidades indianas. Thaddeus trouxe esta para cima, e se a farpa está envenenada, Thaddeus pode, tanto quanto qualquer outro, ter feito dela uso homicida. O cartão é só alguma bobagem sem sentido; para nos despistar, provavelmente. A única pergunta é: como ele saiu? Ah, claro, aqui está um buraco no forro. Com grande agilidade, considerando sua corpulência, ele galgou os degraus e se espremeu pela abertura até a água-furtada, e imediatamente depois, ouvimos sua voz exultante proclamando ter encontrado o alçapão.

— Ele é capaz de encontrar algo — comentou Holmes, dando de ombros. — Tem ocasionais lampejos de razão. *Il n'y a pas des sots si incommodes que ceux qui ont de l'esprit?**

— Viram! — disse Athelney Jones, descendo pela escada de novo. — Fatos são melhores do que meras teorias, no fim das contas. Minha visão do caso está confirmada. Existe um alçapão que dá para o telhado, e está semiaberto.

— Fui eu que o abri.

— Ah, de fato! Já o tinha percebido, então? — Ele pareceu um pouco desapontado com a descoberta. — Bem, não importa quem o percebeu. Ele revela como o nosso cavalheiro fugiu. Inspetor!

— Sim, senhor — ouviu-se da passagem.

— Peça que o Sr. Sholto venha aqui. Sr. Sholto, é meu dever informá-lo que tudo o que disser será usado contra o senhor. Está preso, em nome da rainha, por envolvimento na morte do seu irmão.

— Aí está! Não falei! — gritou o pobre homenzinho, estendendo as mãos e correndo os olhos entre nós.

— Não se preocupe com isso, Sr. Sholto — disse Holmes —; acho que posso me empenhar em inocentá-lo dessa acusação.

— Não prometa demais, Sr. Teórico, não prometa demais! — retrucou o detetive. — Pode descobrir que isso é mais difícil do que imagina.

---

* "Não há tolos tão incômodos quanto aqueles que têm espírito?" Em francês no original. (N. T.)

— Não só vou inocentá-lo, Sr. Jones, como também presentearei o senhor gratuitamente com o nome e a descrição de uma das duas pessoas que estiveram neste quarto na noite passada. Seu nome, tenho todas as razões para acreditar, é Jonathan Small. Ele é um homem de pouca educação, baixa estatura, ágil, com a perna direita amputada, e usando uma perna de pau com a ponta gasta na parte de dentro. Sua bota esquerda tem uma sola áspera e quadrada, com um reforço de ferro no calcanhar. Ele é de meia-idade, muito queimado pelo sol e já esteve preso. Essas poucas indicações podem ser de alguma assistência ao senhor, aliadas ao fato de que boa parte da palma de sua mão está esfolada. O outro homem...

— Ah! O outro homem? — perguntou Athelney Jones, com tom de escárnio, mas impressionado mesmo assim, como pude facilmente perceber, pela precisão do método do meu colega.

— É uma pessoa um tanto peculiar — disse Sherlock Holmes, girando sobre os calcanhares. — Espero em breve ser capaz de apresentar os dois ao senhor. Uma palavrinha com você, Watson.

Ele me levou para o vão da escada.

— Esse acontecimento inesperado — ele disse — nos fez perder um pouco de vista o propósito original da nossa jornada.

— Acabei de pensar a mesma coisa — respondi. — Não é certo a Srta. Morstan ficar nesta desventurada casa.

— Não é. Você precisa acompanhá-la até sua casa. Ela mora com a Sra. Cecil Forrester, em Lower Camberwell, portanto, não fica muito longe. Esperarei por você aqui, caso queira retornar para estes lados. Ou talvez esteja cansado demais?

— De modo algum. Acho que eu não conseguiria descansar sem saber mais sobre esse caso fantástico. Conheço um pouco o lado mais brutal da vida, mas dou minha palavra de que a rápida sucessão de estranhas surpresas desta noite me abalou completamente os nervos. Gostaria, no entanto, de acompanhar a questão até o final com você, agora que já cheguei até aqui.

— Sua presença ser-me-á de grande ajuda — ele respondeu. — Trabalharemos no caso por conta própria, deixando nosso camarada Jones à vontade para exultar com quaisquer patacoadas que ele próprio queira produzir. Depois de acompanhar a Srta. Morstan, quero que você vá ao número 3 da Pinchin Lane, perto da barra, em Lambeth. A terceira casa do lado direito pertence a um empalhador; Sherman é o nome dele. Você verá na janela uma doninha com um coelhinho nas garras. Bata à porta e diga a Sherman, com os meus cumprimentos, que preciso de Toby imediatamente. Você trará Toby para cá na carruagem.

— Um cachorro, suponho.

— Sim, um vira-lata esquisito com um olfato prodigioso. Dou mais valor à ajuda de Toby do que à de toda a detetivesca londrina.

— Vou trazê-lo, então — eu disse. — Agora é uma da manhã. Devo voltar antes das 3 horas, se conseguir um cavalo descansado.

— E eu — disse Holmes — verei o que consigo descobrir com a Sra. Bernstone e com aquele serviçal indiano, o qual, segundo me disse o Sr. Thaddeus, dorme na outra água-furtada. Depois disso, estudarei os métodos do grande Jones e ficarei ouvindo seu não tão sutil sarcasmo. *Wir sind gewohnt dass die Menschen verhöhnen was sie nicht verstehen.** Goethe é sempre certeiro.

---

* "Estamos acostumados a ver as pessoas zombarem do que não entendem." Em alemão no original. (N. T.)

sete
O EPISÓDIO DO BARRIL

A polícia trouxera uma carruagem, e nela eu acompanhei a Srta. Morstan até sua casa. À maneira angelical das mulheres, ela suportara os percalços com um rosto calmo enquanto havia alguém mais fraco do que ela precisando de apoio, e eu a achara alerta e plácida ao lado da assustada governanta. Na carruagem, porém, ela primeiro enfraqueceu e depois irrompeu num paroxismo de choro — de tão duramente que havia sido posta à prova pelas aventuras daquela noite. Ela me diria depois que me achou frio e distante naquele trajeto. Mal podia ela adivinhar o conflito em meu peito, ou o esforço de autocontrole que me continha. Minha compaixão e meu amor a procuravam, como minha mão a procurara no jardim. Minha impressão era que nem anos de convenções da vida diária me dariam tanto a conhecer sua doce e corajosa natureza quanto aquele único dia de estranhas experiências. No entanto, havia duas ideias que impediam as palavras de afeto de saírem dos meus lábios. Ela estava fraca e indefesa, abalada na mente e nos nervos. Seria aproveitar-se dessa desvantagem bombardeá-la com amor num momento como aquele. Pior ainda, ela estava rica. Se as pesquisas de Holmes lograssem êxito, ela seria uma herdeira. Seria justo, seria honrado, para um cirurgião de meio-soldo, tirar tal vantagem de uma intimidade que o acaso gerara? Ela não me consideraria um mero e vulgar caça-dotes? Eu não suportava correr o risco de fazer um pensamento assim cruzar-lhe a mente. Esse tesouro de Agra interviera qual barreira intransponível entre nós dois.

Eram quase 2 da manhã quando chegamos à casa da Sra. Cecil Forrester. A criadagem se recolhera horas antes, mas a Sra. Forrester ficara tão interessada na estranha mensagem que a Srta. Morstan recebera, que ainda estava acordada, esperando a sua volta. Quem abriu a porta foi ela mesma, uma senhora graciosa de meia-idade, e deu-me alegria ver quão ternamente ela passou o braço pela cintura da outra, quão maternal era a voz com a qual a saudou. Estava claro que a Srta. Morstan não era uma mera serviçal, mas uma amiga honrada. Fui apresentado, e a Sra. Forrester implorou com veemência que eu entrasse e lhe contasse nossas aventuras. Expliquei, todavia, a importância da minha viagem, e prometi fielmente visitá-la e relatar qualquer progresso que fizéssemos com o caso. Enquanto eu me afastava na carruagem, olhei furtivamente para trás, e ainda pareço ver aquele quadro da fachada da casa — as duas graciosas figuras abraçadas, a porta entreaberta, a luz da sala brilhando pelas janelas translúcidas, o barômetro e os frisos reluzentes dos degraus da escada. Era apaziguador vislumbrar, ainda que de relance, aquele tranquilo lar inglês, em meio ao caso brutal e sombrio que nos absorvera.

E quanto mais eu pensava no que acontecera, mais brutal e sombrio tudo parecia. Passei em revista toda a extraordinária sequência de acontecimentos enquanto balouçava pelas ruas silenciosas, banhadas pela luz dos lampiões a gás. Havia o problema original: isso, pelo menos, já estava bastante claro. A morte do capitão Morstan, o envio das pérolas, o anúncio, a carta — lançamos luz sobre todos esses fatos. Eles só nos levaram, no entanto, a um mistério mais profundo e bem mais trágico. O tesouro indiano, o curioso mapa encontrado na bagagem de Morstan, a estranha cena da morte do major Sholto, a redescoberta do tesouro imediatamente seguida pelo assassinato do descobridor, os acompanhamentos muito singulares do crime, as pegadas, as armas peculiares, as palavras no cartão, correspondendo àquelas no mapa do capitão Morstan — aí estava, sem dúvida, um labirinto no qual um homem menos singularmente dotado do que meu colega de morada poderia muito bem perder a esperança de algum dia encontrar a pista certa.

Pinchin Lane era uma fileira de sobrados decrépitos de tijolos na parte inferior de Lambeth. Tive que bater por algum tempo no número 3 antes de conseguir ser ouvido. Finalmente, porém, uma vela brilhou por trás da veneziana, e um rosto despontou da janela de cima.

— Saia daqui, seu bêbado vagabundo — disse o rosto. — Se continuar com esse barulho, abro o canil e solto 43 cachorros em cima de você.

— Se soltar só um deles, é o que vim buscar — eu disse.

— Saia daqui! — gritou a voz. — Juro por tudo que é sagrado, tenho uma cobra neste saco, e vou jogá-la na sua cabeça se você não sumir agora mesmo.

— Mas eu quero um cachorro — protestei.

— Não discuta comigo! — gritou o Sr. Sherman. — Agora, afaste-se; pois quando eu disser "três", vou jogar a cobra.

— O Sr. Sherlock Holmes... — comecei a dizer; mas as palavras tiveram um efeito mágico, porque a janela instantaneamente se fechou com estrondo, e um minuto depois, a porta era destrancada e aberta. O Sr. Sherman era um velho magro e ossudo, com ombros caídos, pescoço seco e óculos de lentes azuis.

— Um amigo do Sr. Sherlock é sempre bem-vindo — ele disse. — Pode entrar, senhor. Cuidado com o texugo, que ele morde. Ah, que menino mau; quer dar uma mordiscada no cavalheiro? — Ele dizia isso para uma doninha que enfiava sua cabeça feroz e olhos vermelhos por entre as barras de sua gaiola. — Não se preocupe com ela, senhor: é só uma cobra-cega. Não tem presas, por isso a deixo solta pela casa, já que ajuda a acabar com as baratas. Perdoe-me se fui um pouco rude com o senhor no início, porque as crianças me atormentam muito, e muitas vêm a esta rua só para me provocar. O que o Sr. Sherlock Holmes queria?

— Queria um dos seus cachorros.

— Ah! Deve ser Toby.

— Sim, Toby é o nome dele.

— Toby mora no número 7, ali à esquerda.

O homem andou lentamente com sua vela em meio à estranha família de animais que formara ao seu redor. À luz bruxuleante e incerta, eu vislumbrava olhos atentos e brilhantes nos fitando de cada fresta e canto. Até as vigas acima de nós estavam lotadas de aves solenes, que se empoleiravam preguiçosamente ora num pé, ora noutro, quando nossas vozes perturbavam seu sono.

Toby provou ser uma criatura feiosa, peluda, de orelhas caídas, parte *spaniel* e parte perdigueiro, marrom e branco, com um passo muito incerto e arrastado. Ele aceitou, depois de alguma hesitação, um torrão de açúcar que o velho naturalista me passou, e tendo assim selado nossa aliança, me seguiu até a carruagem e me acompanhou sem criar dificuldades. Acabavam de bater as três no relógio do Palácio quando me vi mais uma vez de volta à Mansão Pondicherry. O ex-lutador, McMurdo, havia, conforme descobri, sido preso como cúmplice, e tanto ele quanto o Sr. Sholto foram escoltados até a chefatura de polícia. Dois policiais vigiavam o portão estreito, mas me deixaram passar com o cão quando mencionei o nome do detetive.

Holmes estava de pé à porta, com as mãos nos bolsos, fumando seu cachimbo.

— Ah, você o trouxe! — ele disse. — Bom cachorro, então! Athelney Jones já foi embora. Tivemos uma imensa demonstração de energia desde que você partiu. Ele prendeu não só o amigo Thaddeus, mas seu vigia, a governanta e o serviçal indiano. Agora o lugar é só nosso, a não ser por um sargento que está lá em cima. Deixe o cachorro aqui e suba.

Amarramos Toby na mesa da sala e subimos novamente a escada. O quarto estava como o deixáramos, com a exceção de um lençol que fora estendido sobre a figura central. Um sargento de ar cansado estava encostado no canto.

— Empreste-me sua lanterna, sargento — disse meu colega. — Agora amarre este pedaço de papel no meu pescoço, para que fique na minha frente. Obrigado. Agora vou tirar minhas botas e meias. Leve-as para baixo com você, Watson. Vou fazer um pouco de escalada. E molhe meu lenço no creosoto. Assim está bom. Venha, suba na água-furtada comigo por um momento.

Nós passamos pelo buraco. Holmes direcionou sua lanterna mais uma vez para as pegadas no pó.

— Quero que você estude particularmente estas pegadas — ele disse. — Observa algo digno de nota nelas?

— Pertencem — eu disse — a uma criança ou mulher pequena.

— Mas à parte seu tamanho. Não há mais nada?

— Parecem ser iguais a qualquer outra pegada.

— De modo algum. Veja aqui! Esta é a pegada de um pé direito no pó. Agora vou fazer uma com meu pé descalço ao lado dela. Qual é a principal diferença?

— Seus dedos do pé estão todos juntos, apertados. A outra pegada tem cada dedo distintamente separado.

— Exatamente. Essa é a questão. Mantenha isso em mente. Agora, por gentileza, pode se debruçar no alçapão e cheirar a borda do telhado? Ficarei aqui, pois estou com este lenço na mão.

Fiz o que ele pediu e instantaneamente percebi um forte cheiro como de alcatrão.

— Foi ali que ele pôs o pé ao sair. Se *você* é capaz de farejá-lo, imagino que Toby não terá dificuldade alguma. Agora desça, solte o cão e fique de olho em Blondin.*

Quando saí no jardim, Sherlock Holmes estava no telhado, e eu podia vê-lo, como um enorme vaga-lume, rastejando muito lentamente pelo beiral. Perdi-o de vista por trás de um conjunto de chaminés, mas ele logo reapareceu, e então desapareceu mais uma vez do outro lado. Quando dei a volta, encontrei-o sentado num dos cantos do beiral.

---
* Jean François Gravelet-Blondin (1824-1897), famoso acrobata francês. (N. T.)

— É você, Watson? — ele exclamou.

— Sim.

— Aqui é o lugar. O que é essa coisa preta aí embaixo?

— Um barril de água.

— Está tampado?

— Sim.

— Nenhum sinal de uma escada?

— Não.

— Sujeitinho diabólico! Este lugar é perigosíssimo. Eu deveria ser capaz de descer por onde ele subiu. O cano da calha parece bem firme. Paciência, vou tentar.

Ouvi seus pés se agitando, e a lanterna começou a descer suavemente pela parede lateral. Então, tomando impulso, ele saltou para o barril, e dali para o chão.

— Foi fácil segui-lo — ele disse, calçando as meias e as botas. — Havia telhas soltas por todo o caminho, e em sua pressa, ele deixou cair isto. Confirma o meu diagnóstico, como dizem vocês médicos.

O objeto que ele me mostrava era um saquinho ou bolsinha de fios de grama coloridos e trançados, com algumas contas baratas entrelaçadas. No formato e tamanho, não era muito diferente de uma cigarreira. Dentro havia meia dúzia de espinhos de madeira escura, com uma ponta afiada e outra arredondada, como aquele que atingira Bartholomew Sholto.

— Essas coisas são infernais — ele disse. — Cuidado para não se picar. Estou encantado em achá-las, pois é provável que ele só tenha essas. Menos temor de encontrar uma na minha ou na sua pele daqui a pouco. Pessoalmente, preferiria enfrentar a bala de um rifle Martini. Está disposto a andar dez quilômetros no mato, Watson?

— Com certeza — respondi.

— Sua perna vai aguentar?

— Ah, sim.

— Aqui, cachorrinho! O bom e velho Toby! Cheire, Toby, cheire! — Ele pôs o lenço com creosoto debaixo do nariz do animal, que ficou de pernas abertas e com a cabeça inclinada de forma muito cômica, como um enólogo apreciando o buquê de uma safra famosa. Holmes, então, jogou o lenço longe, amarrou uma corda robusta na coleira do vira-lata e o levou até a base do barril de água. A criatura instantaneamente soltou uma sucessão de ganidos agudos e trêmulos e, com o nariz no chão e o rabo levantado, saiu atrás do rastro tão rapidamente que a corda se esticou e precisamos correr a toda velocidade.

O leste ia se aclarando aos poucos, e agora já podíamos enxergar um pouco, àquela luz fraca e fria. A casa massiva e quadrada, com suas janelas escuras e vazias e altas paredes nuas, erguia-se, triste e decrépita, atrás de nós. Nosso trajeto nos fez atravessar o terreno, entrando e saindo das valas e buracos que marcavam e dividiam o solo. O lugar todo, com os montes de terra espalhados e arbustos enfermiços, tinha um aspecto desolado e agourento que harmonizava com a tragédia negra que o assolava.

Ao chegar ao muro de divisa, Toby correu ao longo dele, gemendo ansiosamente à sua sombra, e finalmente parou num canto encoberto por uma jovem faia. Na junção dos dois muros, vários tijolos haviam sido retirados, e os buracos que ficaram estavam gastos e arredondados na parte inferior, como se tivessem sido usados com frequência como escada. Holmes escalou o muro e, tomando o cachorro das minhas mãos, jogou-o do outro lado.

— Lá está a pegada do Perna de Pau — ele salientou, quando subi atrás dele. — Perceba a tênue marca de sangue no reboco branco. Que sorte a nossa não ter chovido forte desde ontem! O rastro ainda estará na estrada, apesar da dianteira de 28 horas deles.

Confesso que eu tinha minhas dúvidas, quando pensava no tráfego movimentado que passara pela estrada para Londres naquele ínterim. Porém, meus temores logo foram apaziguados. Toby não hesitou nem se desviou, mas continuou trotando à sua peculiar maneira ritmada. Estava claro que o cheiro pungente do creosoto elevava-se bem acima de todos os outros odores concorrentes.

— Não imagine — disse Holmes — que para meu sucesso nesta empreitada dependo do mero acaso de um dos sujeitos ter pisado no produto químico. Tenho conhecimentos, agora, que me permitiriam localizá-los de muitas formas diferentes. Esta, todavia, é a mais acessível, e já que a fortuna a pôs nas nossas mãos, seria negligência minha ignorá-la. Entretanto, ela impediu que o caso se tornasse o belo probleminha intelectual que em dado momento prometia ser. Haveria algum crédito a ser conquistado, se não fosse por esta pista tão palpável.

— Há crédito, e de sobra — eu disse. — Garanto, Holmes, que me maravilho com os meios pelos quais você obteve seus resultados neste caso, até mais do que no do assassinato de Jefferson Hope. A questão atual me parece ser mais profunda e inexplicável. Como, por exemplo, você pôde descrever com tanta segurança o homem da perna de pau?

— Bah, meu caro rapaz! Foi a própria simplicidade. Não desejo ser teatral. Tudo está patente e às claras. Dois oficiais encarregados de escoltar presos ficam sabendo de um importante segredo sobre um tesouro enterrado. Um mapa é desenhado para eles por um inglês chamado Jonathan Small. Você lembra que vimos o nome no mapa de posse do capitão Morstan. Ele o assinara em seu próprio nome e no de seus associados; o signo dos quatro, como ele, um tanto dramaticamente, o chamava. Auxiliados por esse mapa, a dupla de oficiais... ou melhor, só um deles... pega o tesouro e o traz para a Inglaterra, deixando de cumprir, podemos supor, alguma condição sob a qual o recebeu. Pois bem, por que o próprio Jonathan Small não foi pegar o tesouro? A resposta é óbvia. A data do mapa é de uma época em que Morstan foi levado a conviver de perto com presos. Jonathan Small não foi pegar o tesouro porque ele e seus associados eram, eles próprios, presos condenados, e não podiam fugir.

— Mas isso é mera especulação — eu disse.

— É mais do que isso. É a única hipótese que explica os fatos. Vejamos como ela se encaixa nos desdobramentos. O major Sholto fica em paz por alguns anos, feliz com a posse de seu tesouro. Então ele recebe uma carta da Índia que lhe causa grande pavor. O que era?

— Uma carta dizendo que os homens que ele injustiçara foram libertados.

— Ou fugiram. Isso é muito mais provável, porque ele já devia saber a duração da pena deles. O fim dela não lhe causaria surpresa. O que ele faz, então? Previne-se contra um homem de perna de pau... branco, veja bem, pois confunde um comerciante branco com Small e chega a dar tiros no pobre homem. Bem, só um nome no mapa é de um homem branco. Os outros são nomes hindus ou maometanos. Não há nenhum outro homem branco. Portanto, podemos dizer com segurança que o homem da perna de pau é o próprio Jonathan Small. Encontrou alguma falha no meu raciocínio?

— Não: é claro e conciso.

— Bem, agora ponhamo-nos no lugar de Jonathan Small. Vejamos a coisa do seu ponto de vista. Ele chega à Inglaterra com o duplo propósito de reconquistar o que ele considera ser seu de direito e vingar-se do homem que o injustiçou. Ele descobriu onde Sholto morava, e muito provavelmente estabelecera comunicação com alguém de dentro da casa. Há o mordomo, Lal Rao, que não chegamos a conhecer. A Sra. Bernstone o considera longe de ser bom caráter. Small não conseguiu descobrir, todavia, onde o tesouro estava escondido, porque ninguém jamais ficou sabendo, a não ser o major e um criado fiel que já morreu. De repente, Small descobre que o major está em seu leito de morte. Freneticamente, para que o segredo do tesouro não morra com ele, Small passa pelos guardas, vai até a janela do moribundo, e só é impedido de entrar pela presença dos dois filhos do major. No entanto, louco de ódio contra o morto, ele entra no quarto naquela noite, vasculha seus documentos particulares, na esperança de descobrir algum lembrete relativo ao tesouro, e finalmente deixa uma recordação de sua visita na breve inscrição do cartão. Sem dúvida ele planejou com antecedência que, caso tivesse que matar o major, deixaria alguma anotação do tipo sobre o corpo, como sinal de que não se tratava de um homicídio comum, e sim, do ponto de vista dos quatro associados, de algo análogo a um ato de justiça. Ideias impulsivas e bizarras desse tipo são bastante comuns nos anais do crime, e muitas vezes proporcionam indicações valiosas da identidade do culpado. Está acompanhando tudo isso?

— Muito claramente.

— Bem, o que Jonathan Small podia fazer? Continuar a manter uma vigilância secreta dos esforços para encontrar o tesouro. Possivelmente, ele saía da Inglaterra e só voltava a intervalos. Então a água-furtada é descoberta, e ele é informado instantaneamente disso. Mais uma vez, temos pistas da presença de algum cúmplice dentro da casa. Jonathan, com sua perna de pau, é totalmente incapaz de chegar ao quarto elevado de Bartholomew Sholto. Ele traz consigo, no entanto, um aliado um tanto curioso, que vence essa dificuldade, mas molha o pé descalço no creosoto, resultando em Toby e nestes dez quilômetros mancando para um oficial em reforma com o tendão de Aquiles danificado.

— Mas foi o aliado, e não Jonathan, quem cometeu o crime.

— Exato. E para grande desgosto de Jonathan, a julgar pela maneira como ele pisava duro ao entrar no quarto. Ele não guardava rancor contra Bartholomew Sholto, e preferia que este tivesse sido apenas amarrado e amordaçado. Small não desejava enfiar a cabeça numa forca. Mas não havia o que fazer: os instintos selvagens de seu colega se manifestaram, e o veneno agira. Assim, Jonathan Small deixou seu recado, baixou o baú do tesouro pela janela até o chão e desceu em seguida. Essa é a sequência dos acontecimentos até onde consigo decifrá-los. E, claro, quanto à aparência pessoal, ele deve ser de meia-idade e queimado pelo sol, depois de servir num forno como as Ilhas Andamã. Sua altura é facilmente calculada pelo tamanho do seu passo, e sabemos que ele tinha barba. Sua abundância de pelos foi a característica que mais impressionou Thaddeus Sholto quando este o viu na janela. Acho que não há mais nada.

— O aliado?

— Ah, bem, isso não é um grande mistério. Mas você logo saberá tudo a respeito. Como é doce o ar matinal! Veja como aquela nuvenzinha flutua, como a pena rosada de um flamingo gigantesco. Agora, o disco vermelho do sol abre caminho em meio às nuvens de Londres. Ele brilha sobre muita gente, mas ninguém, ouso apostar, com uma missão mais estranha do que a nossa. Quão pequenos nos sentimos, com nossas ambições e lutas mesquinhas, na presença dos grandes elementos da natureza! Você leu muito Jean Paul?*

— Até que sim. Interessei-me por ele ao ler Carlyle.**

— Isso é como seguir um regato até a nascente. Ele faz uma reflexão curiosa, porém profunda: diz que a maior prova da real grandeza do homem está na percepção de sua própria pequenez. Isso demonstra, veja bem, um poder de comparação e apreciação que já é uma prova de nobreza. Richter dá muito o que pensar. Você não tem uma pistola, por acaso?

— Tenho minha bengala.

— É bem possível que precisemos de algo do tipo, se chegarmos ao covil deles. Você pode cuidar de Jonathan, mas se o outro ficar violento, vou abatê-lo a tiros. — Ele sacou o revólver enquanto falava, e depois de carregá-lo com duas balas, devolveu-o ao bolso direito do paletó.

---

* Alcunha do filósofo e humorista alemão Johann Paul Friedrich Richter (1763-1825). (N. T.)

** Thomas Carlyle (1795-1881), historiador escocês, autor de dois ensaios sobre Richter. (N. T.)

Durante essa conversa, seguíramos a trajetória de Toby pelas estradas um tanto rurais, ladeadas por casas de campo, que levavam à metrópole. Agora, porém, começávamos a chegar a ruas contínuas, onde operários e estivadores já se movimentavam, e mulheres malvestidas abriam janelas e varriam soleiras. Na esquina da praça, as *public houses* já estavam entrando em funcionamento, e homens de aspecto rude saíam delas, limpando a barba nas mangas depois do seu trago matinal. Cachorros estranhos vagavam e nos olhavam com surpresa quando passávamos, mas nosso inimitável Toby não olhava para os lados e seguia trotando, com o nariz colado ao chão e o ocasional ganido ansioso de quem seguia um rastro recente. Atravessáramos Streatham, Brixton, Camberwell, e agora nos encontrávamos na Kennington Lane, depois de percorrer as vias secundárias a leste do Oval.* Os homens que perseguíamos pareciam ter feito um curioso itinerário em ziguezague, provavelmente para evitarem ser observados. Nunca se mantinham na estrada principal, caso houvesse uma rua secundária paralela a ela. No início da Kennington Lane, tomaram a esquerda e seguiram pela Bond Street e pela Miles Street. No ponto em que esta última emerge na Knight's Place, Toby parou de avançar e começou a correr para a frente e para trás com uma orelha levantada e a outra caída, a própria imagem da indecisão canina. Então pôs-se a andar em círculos, olhando para nós

---

* Campo de críquete no sul de Londres, construído em 1845. (N. T.)

ocasionalmente, como que pedindo nossa comiseração, em meio ao seu constrangimento.

— Que diabos esse cachorro tem? — Holmes rosnou. — Eles certamente não tomaram uma carruagem, nem saíram voando de balão.

— Talvez tenham ficado parados aqui por algum tempo — sugeri.

— Ah! Está tudo certo. Ele partiu de novo — disse meu colega, em tom de alívio.

De fato, ele partira, já que depois de farejar em círculo de novo, de repente se decidira e chispara com uma energia e determinação que ainda não havia demonstrado. O cheiro parecia estar mais intenso do que antes, já que ele nem encostava o nariz no chão, puxando a corda e tentando sair correndo. Eu podia ver, pelo brilho no olhar de Holmes, que ele achava que nos aproximávamos do fim de nossa jornada.

Nosso trajeto agora seguia por Nine Elmes, até que chegamos à grande madeireira Broderick and Nelson, perto da taverna White Eagle. Ali o cachorro, num frenesi de empolgação, entrou pelo portão lateral para o pátio cercado, onde os operários já estavam trabalhando. Ali, o animal correu em meio à serragem e às lascas de madeira por um beco, depois uma passagem, seguiu entre duas pilhas de madeira, e finalmente, com um ganido triunfante, saltou sobre um grande barril, ainda em cima do carrinho de mão no qual havia sido trazido. De língua de fora e piscando, Toby permaneceu sobre o recipiente, correndo os olhos entre mim e Holmes, procurando algum sinal de agradecimento. As tábuas do barril e as rodas do carrinho estavam lambuzadas de um líquido escuro, e o ar todo pesava com o cheiro de creosoto.

Sherlock Holmes e eu nos entreolhamos, sem expressão, e então caímos simultaneamente numa gargalhada incontrolável.

oito
OS IRREGULARES DA BAKER STREET

— E agora? — perguntei. — Toby perdeu seu pendor para a infalibilidade.

— Ele agiu de acordo com seu talento — disse Holmes, tirando-o de cima do barril e levando-o para fora do pátio da madeireira. — Se você considerar a quantidade de creosoto que é transportada por toda a Londres num dia, não é de se admirar que nosso rastro tenha sofrido interferência. É uma substância muito usada agora, especialmente para o tratamento da madeira. O pobre Toby não tem culpa.

— Precisamos encontrar novamente o rastro principal, suponho.

— Sim. E felizmente, não precisaremos ir muito longe. É óbvio que o que intrigou o cão na esquina da Knight's Place foi o fato de haver dois rastros indo para direções opostas. Nós seguimos o rastro errado. Agora basta seguir o outro.

Não houve dificuldade nisso. Quando levamos Toby para o lugar onde cometera seu erro, ele descreveu um grande círculo e finalmente saiu galopando em outra direção.

— Precisamos tomar cuidado para que agora ele não nos leve até o lugar de onde veio aquele barril de creosoto — observei.

— Eu pensei nisso. Mas note que ele se mantém na calçada, enquanto o carrinho trafegava pela via. Não, agora estamos na trilha certa.

Ela levou para a beira do rio, passando pela Belmont Place e a Prince's Street. No final da Broad Street, ela ia direto para a margem, onde havia um pequeno píer de madeira. Toby nos levou até sua borda, e ali ficou, gemendo, olhando para longe na escura correnteza.

— Demos azar — disse Holmes. — Eles tomaram um barco aqui.

Várias balsas e esquifes pequenos estavam atracados na água e à beira do píer. Levamos Toby até cada um deles, mas mesmo fungando muito, ele não esboçou nenhuma reação.

Perto do rústico atracadouro havia uma casinha de tijolos com uma placa de madeira na segunda janela. "Mordecai Smith" estava escrito nela em grandes letras de forma, e abaixo, "Alugam-se barcos por hora ou por dia". Uma segunda inscrição em cima da porta nos informava que ele dispunha de uma lancha a vapor — declaração confirmada pelo grande monte de coque sobre o quebra-ondas. Sherlock Holmes olhou lentamente ao redor, e seu rosto assumiu uma expressão sombria.

— Isto é ruim — ele disse. — Esses sujeitos são mais espertos do que eu esperava. Parecem ter apagado seus rastros. Temo que tenha havido premeditação aqui.

Ele estava se aproximando da porta da casa quando ela se abriu e um menininho de 6 anos de cabelo encaracolado saiu correndo, seguido por uma mulher robusta e rubicunda, com uma grande esponja na mão.

— Volte aqui para se lavar, Jack — ela gritou. — Volte aqui, seu pestinha; porque se seu pai chegar em casa e encontrar você assim, nós dois vamos escutar.

— Caro camaradinha! — disse Holmes estrategicamente. — Que belo jovem de bochechas rosadas! Jack, há alguma coisa que você deseje?

O menino refletiu um momento.

— Quero um xelim — ele disse.

— Não há nada que você queira mais?

— Dois xelins eu queria mais — respondeu o prodígio, depois de pensar um pouco.

— Tome, então! Pegue! Que criança linda, Sra. Smith!

— Deus abençoe o senhor, ele é, sim, e esperto. Quase não consigo dar conta dele, especialmente quando meu marido viaja por vários dias.

— Ele está viajando? — disse Holmes em tom desapontado. — Lamento, pois queria falar com o Sr. Smith.

— Ele partiu ontem de manhã, senhor, e para dizer a verdade, estou começando a temer por ele. Mas se está procurando um barco, senhor, talvez eu possa atendê-lo.

— Eu queria alugar a lancha a vapor.

— Ora, Deus o abençoe, senhor, foi na lancha a vapor que ele partiu. É isso que me intriga; porque sei que o carvão que tem nela só daria para ir até Woolwich e voltar. Se ele tivesse partido na balsa, eu nem me preocuparia; muitas vezes teve que ir até Gravesend a trabalho, e quando havia muito o que fazer, ele pernoitava por ali. Mas de que serve uma lancha a vapor sem carvão?

— Ele pode tê-la reabastecido em algum porto rio abaixo.

— Pode, senhor, mas não é do feitio dele. Muitas vezes já o ouvi esbravejar com os preços que eles cobram por umas sacas. Além disso, eu não gosto daquele homem da perna de pau, com sua cara feia e sua conversa esquisita. Por que ele estava sempre vindo aqui?

— Um homem da perna de pau? — disse Holmes, com uma surpresa branda.

— Sim, senhor, um sujeito queimado, com cara de macaco, que já veio mais de uma vez procurar o meu velho. Foi ele que o acordou ontem à noite, e se quer saber, meu marido sabia que ele vinha, porque a caldeira da lancha já estava acesa. Falando francamente, senhor, isso não me deixa muito tranquila.

— Mas, minha cara Sra. Smith — disse Holmes, dando de ombros —, está se preocupando por nada. Como a senhora poderia saber que foi o homem da perna de pau que veio no meio da noite? Não entendo por que tem tanta certeza.

— A voz dele, senhor. Reconheci a voz dele, que é meio grossa e rouca. Ele bateu na janela; foi lá pelas três. "Ande logo, marujo", ele disse: "é hora da troca da guarda". Meu velho acordou Jim, meu filho mais velho, e lá se foram eles, sem nem me dizer uma palavra. Eu ouvia a perna de pau dele batendo nas pedras.

— E esse homem da perna de pau estava sozinho?

— Isso eu não sei dizer. Não ouvi mais ninguém.

— Lamento, Sra. Smith, porque eu queria uma lancha a vapor, e ouvi falar bem da... deixe-me ver, como é mesmo o nome dela?

— A *Aurora*, senhor.

— Ah! Não é aquela velha lancha verde com uma listra amarela, de casco bem largo?

— Não mesmo. É a coisinha mais esbelta que navega neste rio. Foi recém-pintada de preto, com duas listras vermelhas.

— Obrigado. Espero que a senhora receba logo notícias do Sr. Smith. Vou descer o rio, e se topar com a *Aurora*, vou avisá-los de que a senhora está preocupada. Chaminé toda preta, a senhora disse?

— Não, senhor. Preta com uma listra branca.

— Ah, Claro. O casco que é preto. Tenha um bom dia, Sra. Smith. Um barqueiro está passando, Watson. Vamos tomar o barco dele e atravessar o rio.

— O principal, com pessoas desse tipo — disse Holmes enquanto nos sentávamos nas lonas do barco —, é jamais deixar que percebam que a informação solicitada pode ter a menor importância para você. Se perceberem, vão se fechar instantaneamente, como uma ostra. Se você ouvir o que dizem com ar de desagrado, como fiz, é bem provável que consiga o que quer.

— Nosso caminho agora parece bastante claro — eu disse.

— O que você faria, então?

— Arranjaria uma lancha e desceria o rio atrás da *Aurora*.

— Caro colega, essa seria uma empreitada colossal. Ela pode ter parado em qualquer porto de ambas as margens, daqui até Greenwich. Depois da ponte há um perfeito labirinto de atracadouros que se estende por quilômetros. Você levaria dias e dias para vasculhá-los, se tentasse fazer isso sozinho.

— Peça ajuda à polícia, então.

— Não. Provavelmente, avisarei Athelney Jones no último momento. Ele não é mau sujeito, e eu não gostaria de fazer nada que pudesse prejudicá-lo profissionalmente. Mas tenho preferência por resolver o caso sozinho, agora que chegamos tão longe.

— Poderíamos publicar um anúncio, então, pedindo informações aos donos dos atracadouros?

— Pior ainda! Nossos homens ficariam sabendo que estamos no encalço e fugiriam do país. Já é bem possível que eles partam, mas enquanto se acharem perfeitamente a salvo, não terão pressa. A energia de Jones ser-nos-á útil nisso, pois sua visão do caso certamente irá parar nas páginas dos cotidianos, e os fugitivos pensarão que todos estão seguindo pistas falsas.

— O que vamos fazer, então? — perguntei, quando desembarcamos perto da Penitenciária de Millbank.

— Tomar este *hansom*, ir para casa, fazer o desjejum e dormir um pouco. É praticamente certo que sairemos de novo hoje à noite. Pare na agência dos telégrafos, cocheiro! Ficaremos com Toby, ele ainda poderá ser-nos útil.

Paramos na Grande Agência dos Correios de Peter Street, e Holmes enviou seu telegrama.

— Para quem você acha que o enviei? — ele perguntou, quando seguimos viagem.

— Garanto que não sei.

— Você se lembra da divisão de detetives policiais da Baker Street que empreguei no caso de Jefferson Hope?

— Muito bem — eu disse rindo.

— Este é o tipo de caso em que eles podem ser de inestimável ajuda. Se fracassarem, tenho outros recursos, mas vou tentar com eles primeiro. Aquele telegrama foi para meu pequeno lugar-tenente da cara suja, Wiggins, e espero que ele e seu bando venham nos encontrar antes de terminarmos nosso desjejum.

Já eram oito ou nove horas da manhã, e eu percebia em mim mesmo uma forte reação às sucessivas emoções da noite.

Estava trôpego e exausto, com a mente anuviada e o corpo cansado. Eu não tinha o entusiasmo profissional que motivava o meu colega, e tampouco podia encarar a questão como um mero problema intelectual abstrato. Quanto à morte de Bartholomew Sholto, eu pouco ouvira de bom a respeito dele, e não conseguia sentir uma antipatia intensa por seus assassinos. O tesouro, no entanto, era outro assunto. Ele, ou parte dele, pertencia por direito à Srta. Morstan. Enquanto houvesse uma chance de recuperá-lo, eu estava disposto a devotar minha vida a esse único objetivo. É verdade que, caso o encontrasse, isso provavelmente a poria para sempre fora do meu alcance. No entanto, só um amor mesquinho e egoísta seria influenciado por um pensamento assim. Se Holmes podia trabalhar para encontrar os criminosos, eu tinha um motivo dez vezes mais forte para me impelir a encontrar o tesouro.

Um banho na Baker Street e uma completa troca de roupas me renovaram maravilhosamente. Quando desci para a sala, encontrei o desjejum na mesa e Holmes servindo-se de café.

— Aqui está — ele disse rindo, apontando para um jornal aberto. — O energético Jones e o onipresente repórter já resolveram o caso. Mas você já deve estar farto desse assunto. Melhor comer seus ovos com presunto antes.

Tomei o jornal de suas mãos e li o curto artigo, cujo título era "Acontecimento Misterioso em Upper Norwood".

Por volta da meia-noite de ontem [dizia o *Standard*], o Sr. Bartholomew Sholto, residente na Mansão Pondicherry, em Upper Norwood, foi encontrado morto em seu quarto em circunstâncias que indicam uma ação criminosa. Até onde soubemos, nenhum sinal de violência foi encontrado no corpo do Sr. Sholto, mas uma coleção valiosa de joias indianas que o falecido cavalheiro herdara de seu pai havia desaparecido. A descoberta foi feita pelo Sr. Sherlock Holmes e pelo Dr. Watson, que visitavam a casa com o Sr. Thaddeus Sholto, irmão do falecido. Por um singular golpe de sorte, o Sr. Athelney Jones, conhecido membro do corpo de detetives da polícia, estava na Chefatura de Polícia de Norwood e chegou ao local menos de meia hora depois que foi dado o alarme. Suas faculdades treinadas e experientes imediatamente foram direcionadas para a descoberta dos criminosos, com o gratificante resultado da prisão do irmão, Thaddeus Sholto, junto com a governanta, a Sra. Bernstone, um mordomo indiano chamado Lal Rao e um porteiro ou vigia chamado McMurdo. É bem certo que o ladrão ou ladrões conheciam bem a casa, pois o já famoso conhecimento técnico do Sr. Jones e seus poderes de observação detalhada lhe permitiram provar conclusivamente que os malfeitores não poderiam ter entrado pela porta ou pela janela, mas devem ter ganhado acesso pelo telhado do imóvel, entrando por um alçapão num cômodo que se comunica com aquele no qual o corpo foi encontrado. Esse fato, que foi muito claramente determinado, prova conclusivamente que o acontecido não foi um roubo casual. A ação tempestiva e enérgica dos oficiais da lei demonstra a grande vantagem da presença, em tais ocasiões, de uma só mente vigorosa e magistral. Não podemos deixar de pensar que esse é um argumento para aqueles que desejariam ver nossa detetivesca menos centralizada, e assim em contato mais próximo e eficaz com os casos que é seu dever investigar.

— Não é lindo? — disse Holmes, sorrindo por cima da xícara de café. — O que você achou?

— Acho que foi muita sorte nossa não termos também sido presos pelo crime.

— Concordo. Já não garanto nossa segurança agora, se ele tiver mais um de seus acessos de energia.

Nesse momento, alguém tocou com força a campainha e pude ouvir a Sra. Hudson, nossa senhoria, erguendo a voz num lamento de expostulação e desânimo.

— Pelos céus, Holmes — eu disse, começando a me levantar —, acho que vieram mesmo nos prender.

— Não, não é nada tão grave. É a polícia extraoficial, os irregulares da Baker Street.

Enquanto ele falava, ouviram-se passos céleres de pés descalços na escada, um vozerio agudo, e uma dúzia de meninos de rua sujos e esfarrapados irromperam na sala. Havia algum vestígio de disciplina entre eles, apesar de sua entrada tumultuada, pois instantaneamente se enfileiraram e ficaram de frente para nós, com os rostos cheios de expectativa. Um deles, mais alto e mais velho que os outros, deu um passo adiante com um ar de superioridade relaxada, bastante cômica num pequeno espantalho tão mal-ajambrado.

— Recebi seu recado, senhor — ele disse —, e já trouxe todos eles. Três xelins e seis *pence* p'ras passagens.

— Tome — disse Holmes, entregando-lhe algumas moedas. — Futuramente, eles podem fazer relatórios a você, Wiggins, e você a mim. Não posso permitir que me invadam a casa dessa forma. De qualquer maneira, é melhor mesmo que todos vocês ouçam as instruções. Quero descobrir o paradeiro de uma lancha a vapor chamada *Aurora*, de propriedade de Mordecai Smith, preta com duas listras vermelhas, chaminé preta com uma listra branca. Ela está em algum lugar rio abaixo. Quero que um garoto fique no atracadouro de Mordecai Smith, em frente a Millbank, para avisar caso a embarcação volte. Vocês precisam dividir o território e vasculhar meticulosamente ambas as margens. Avisem-me assim que tiverem novidades. Está tudo claro?

— Sim, chefe — disse Wiggins.

— A tabela de pagamento de sempre, e um guinéu para o garoto que encontrar o barco. Aqui está um dia adiantado. Agora vão! — Ele entregou um xelim a cada um, eles desceram a escada em tropel, e os vi um momento depois correndo pela rua.

— Se aquela lancha não afundou, eles vão encontrá-la — disse Holmes, levantando-se e acendendo o cachimbo. — Eles conseguem ir a qualquer lugar, ver tudo, bisbilhotar quem quer que seja. Espero saber, antes que anoiteça, que eles a avistaram. Enquanto isso, não temos o que fazer além de aguardar os resultados. Não podemos continuar seguindo o rastro interrompido enquanto não encontrarmos a *Aurora* ou o Sr. Mordecai Smith.

— Ouso dizer que Toby gostaria de comer estes restos. Você vai dormir, Holmes?

— Não: não estou cansado. Tenho uma constituição curiosa. Não me lembro de jamais me sentir cansado por causa do trabalho, enquanto o ócio me esgota completamente. Vou fumar e refletir sobre o estranho caso que minha bela cliente nos apresentou. Se já houve uma tarefa fácil, é esta nossa. Homens com pernas de pau não são tão comuns, mas o outro homem deve ser, imagino, absolutamente único.

— Esse outro homem de novo!

— Não desejo transformá-lo num mistério; não para você, ao menos. Mas deve ter formado sua própria opinião.

Agora, considere os dados. Pegadas pequeninas, dedos dos pés jamais apertados por botas, descalço, marreta de pedra, grande agilidade, pequenos dardos envenenados. O que você conclui disso tudo?

— Um selvagem! — exclamei. — Talvez um daqueles indianos que se associaram com Jonathan Small.

— Pouco provável — ele disse. Quando vi as marcas de armas estranhas, senti-me inclinado a pensar assim; mas o caráter peculiar das pegadas me fez reconsiderar minhas conclusões. Alguns habitantes da península indiana são de baixa estatura, mas nenhum poderia ter deixado aquelas marcas. Hindus têm pés longos e magros. Maometanos, que usam sandálias, têm o dedão do pé bem separado dos outros dedos, porque a tira da sandália em geral passa entre eles e o dedão. Além disso, esses pequenos dardos só poderiam ser lançados de uma forma. Eles saem de uma zarabatana. Pois então, onde podemos encontrar nosso selvagem?

— Na América do Sul — arrisquei.

Ele esticou a mão e retirou um grosso volume da prateleira.

— Este é o primeiro volume de um dicionário geográfico que está sendo publicado agora. Pode ser considerado a autoridade mais atualizada. O que temos aqui? "Ilhas Andamã, situadas 545 quilômetros ao norte de Sumatra, no Golfo de Bengala." Hum! Hum! O que é tudo isso? Clima úmido, recifes de coral, tubarões, Port Blair, penitenciária, Ilha Rutland, plantações de algodão... Ah, aqui está! "Os aborígines das Ilhas Andamã talvez possam reivindicar o título de menor raça do planeta, embora alguns antropólogos prefiram conferi-lo aos boxímanes da África, aos paiutes americanos ou aos nativos da Terra do Fogo. Sua estatura média fica um pouco abaixo de 1,20 m, embora existam muitos adultos que medem bem menos que isso. São um povo feroz, mal-humorado e intratável, embora sejam capazes de uma amizade assaz devotada, uma vez conquistada sua confiança." Tome nota disso, Watson. Pois bem, ouça mais. "São naturalmente horrorosos, com a cabeça enorme e deformada, olhos pequenos e ferozes e feições distorcidas. Seus pés e mãos, no entanto, são admiravelmente pequenos. Tão intratáveis e ferozes são eles que, apesar de todos os seus esforços, os oficiais britânicos não conseguiram nenhum tipo de aproximação. Sempre foram o terror das tripulações de navios naufragados, estourando os miolos dos sobreviventes com suas marretas de pedra, ou alvejando-os com suas setas envenenadas. Esses massacres são invariavelmente seguidos de um banquete canibal." Um povo gentil e amável, Watson! Se esse camarada não tivesse sido orientado e assistido, o caso poderia ter sofrido uma reviravolta ainda mais sangrenta. Imagino que, mesmo assim, Jonathan Small daria tudo para não ter empregado sua ajuda.

— Mas como ele chegou a ter um aliado tão singular?

— Ah, isso é algo que não sei dizer. Todavia, já que determinamos que Small veio das Ilhas Andamã, não é tão espantoso que tenha trazido esse ilhéu. Sem dúvida saberemos tudo a respeito dele, oportunamente. Olhe aqui, Watson; você parece no fim de suas forças. Deite-se ali no sofá, vejamos se consigo fazer você dormir.

Ele pegou seu violino do canto, e enquanto eu me esticava, começou a tocar uma ária calma, onírica e melodiosa — composição sua, sem dúvida, já que ele tinha um dom notável para o improviso. Tenho uma lembrança vaga de seus membros magros, do seu rosto tranquilo e do movimento do seu arco. Então pareci flutuar pacificamente para longe num mar suave de sons, até que me vi na terra dos sonhos, com o doce rosto de Mary Morstan me olhando do alto.

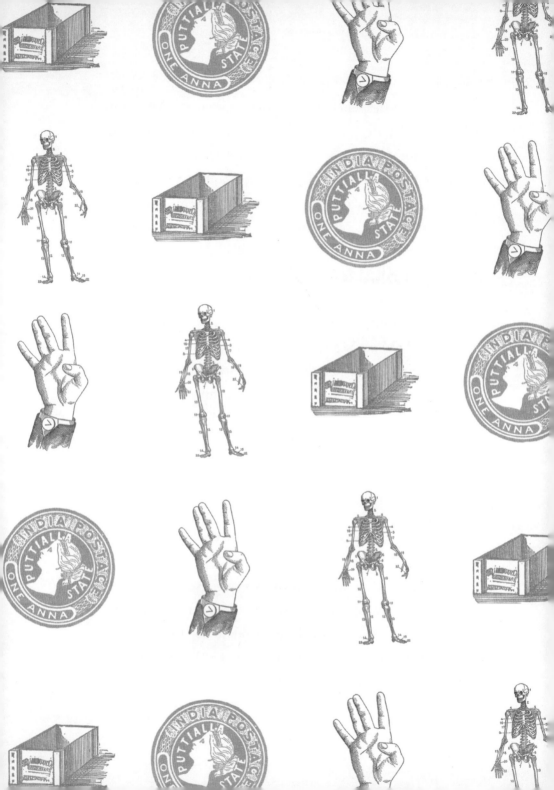

nove
UMA QUEBRA NA CORRENTE

Já era tarde avançada quando acordei, fortalecido e renovado. Sherlock Holmes continuava sentado exatamente como eu o deixara, a não ser por ter guardado o violino e estar absorto num livro. Ele olhou para mim quando me espreguicei, e notei que seu rosto estava sombrio e preocupado.

— Você dormiu profundamente — ele disse. — Temi que nossa conversa o acordasse.

— Não ouvi nada — respondi. — Você recebeu notícias, então?

— Infelizmente, não. Confesso que estou surpreso e decepcionado. Já esperava algo definitivo a esta altura. Wiggins acabou de subir para fazer o relatório. Ele disse que não encontraram nenhum sinal da lancha. É um obstáculo provocante, pois cada hora é vital.

— Posso fazer alguma coisa? Estou perfeitamente descansado agora, e pronto para mais uma aventura noturna.

— Não, não podemos fazer nada. Só esperar. Se sairmos, a mensagem pode chegar durante a nossa ausência e causar um atraso. Você pode fazer o que quiser, mas eu preciso ficar de guarda.

— Então irei até Camberwell, visitar a Sra. Cecil Forrester. Ela me pediu isso ontem.

— Visitar a Sra. Cecil Forrester? — perguntou Holmes, com o brilho de um sorriso nos olhos.

— Bem, a Srta. Morstan também, claro. Elas estavam ansiosas para saber o que aconteceu.

— Eu não contaria muita coisa a elas — disse Holmes. — Nunca se pode confiar totalmente nas mulheres; nem mesmo nas melhores.

Não me detive para discutir essa opinião atroz.

— Voltarei em uma ou duas horas — avisei.

— Certo! Boa sorte! Mas já que vai atravessar o rio, você poderia devolver Toby, porque acho pouco provável que o usemos, por enquanto.

Levei nosso vira-lata, conforme fui instruído, e o deixei, junto com meio soberano, na casa do velho naturalista na Pinchin Lane. Em Camberwell, achei a Srta. Morstan um pouco exausta, depois das aventuras da noite, mas muito ansiosa para saber as novidades. A Sra. Forrester também estava cheia de curiosidade. Contei a elas tudo o que fizéramos, suprimindo, todavia, as partes mais horripilantes da tragédia. Assim, embora eu tenha falado da morte do Sr. Sholto, nada disse sobre a maneira e o método exato do crime. Mesmo com todas as minhas omissões, no entanto, restou o suficiente para assustá-las e assombrá-las.

— É um romance! — exclamou a Sra. Forrester. — Uma dama injuriada, um tesouro de meio milhão, um canibal de pele escura e um vilão com uma perna de pau. Eles assumem o lugar do convencional dragão ou do conde malvado.

— E dois cavaleiros errantes para o resgate — acrescentou a Srta. Morstan, me encarando com um brilho nos olhos.

— Ora, Mary, sua fortuna depende do objeto desta busca. Acho que você não está nem de longe empolgada o suficiente. Imagine como deve ser ficar tão rica e ter o mundo aos seus pés!

Meu coração sentiu um breve frêmito de alegria ao notar que ela não demonstrava nenhum sinal de entusiasmo com essa perspectiva. Pelo contrário, levantou a cabeça com altivez, como se a questão pouco a interessasse.

— É pelo Sr. Thaddeus Sholto que estou ansiosa — ela disse. — Nada mais tem qualquer importância, mas acho que ele se comportou muito gentil e honradamente em todos os momentos. É nosso dever inocentá-lo dessa acusação pavorosa e infundada.

Anoitecia quando parti de Camberwell, e já estava bem escuro quando cheguei em casa. O livro e o cachimbo do meu amigo estavam ao lado de sua poltrona, mas ele desaparecera. Olhei ao meu redor, esperando ver um bilhete, mas não havia nenhum.

— Suponho que o Sr. Sherlock Holmes tenha saído — eu disse à Sra. Hudson, quando ela veio fechar as venezianas.

— Não, senhor. Ele está no quarto. Sabe, senhor — ela disse, baixando a voz para um cochicho impressionante —, temo pela saúde dele.

— Por que, Sra. Hudson?

— Bem, ele está estranho assim, senhor. Depois que o senhor saiu, ele andou e andou, de um lado para o outro, de um lado para o outro, até que me cansei de ouvir seus passos. Então o ouvi falando sozinho e resmungando, e cada vez que a campainha tocava, ele aparecia no alto da escada, perguntando: "Quem é, Sra. Hudson?" E agora ele se recolheu ao quarto, mas consigo ouvi-lo andando para lá e para cá como antes. Espero que ele não fique doente, senhor. Tentei lhe dizer algo sobre remédios para baixar a febre, mas ele se virou, senhor, e me lançou um olhar, que nem sei como consegui sair daquele quarto.

— Acho que a senhora não tem motivo para se preocupar, Sra. Hudson — respondi. — Eu já o vi assim antes. Ele tem algum problema na cabeça que o deixa inquieto.

Tentei falar mansamente com nossa valorosa senhoria, mas eu mesmo me sentia um tanto desconfortável quando, durante a longa noite, ainda ouvia ocasionalmente o som abafado de seus passos, e sabia o quanto seu espírito sagaz se revoltava com aquela inação involuntária.

Na hora do café, ele parecia exausto e irritadiço, com um pouco de cor febril nas bochechas.

— Está se acabando, meu velho — comentei. — Ouvi você marchando durante a noite.

— Não, eu não conseguia dormir — ele respondeu. — Esse problema infernal está me devorando. É inadmissível ser detido por um obstáculo tão insignificante, quando todos os outros foram superados. Já conheço os homens, a lancha, tudo. Mesmo assim, não consigo obter notícias. Acionei outros agentes e usei todos os recursos à minha disposição. O rio todo foi vasculhado, nas duas margens, mas não há notícias, tampouco a Sra. Smith sabe do seu marido. Logo vou acabar concluindo que eles afundaram a embarcação. Mas há objeções a isso.

— Ou que a Sra. Smith nos pôs na pista errada.

— Não, acho que isso pode ser descartado. Mandei investigar, e existe uma lancha com essa descrição.

— Ela poderia ter seguido rio acima?

— Considerei essa possibilidade também, e um grupo vai fazer buscas até Richmond. Se não chegar nenhuma notícia hoje, eu mesmo partirei amanhã e irei atrás dos homens, não do barco. Mas certamente saberemos de algo.

Não soubemos, porém. Nem uma palavra chegou até nós, nem de Wiggins, nem dos outros agentes. Havia artigos na maioria dos jornais sobre a tragédia de Norwood. Todos pareciam um tanto hostis com o desventurado Thaddeus Sholto. Nenhum deles trazia, no entanto, qualquer detalhe novo, a não ser que um inquérito seria realizado no dia seguinte. À noitinha, fui a pé até Camberwell relatar nosso insucesso para as damas, e na volta encontrei Holmes desolado e um tanto melancólico. Ele mal respondia às minhas perguntas e ocupou-se a noite toda de uma abstrusa análise química que envolvia o aquecimento de inúmeras retortas e a destilação de muitos vapores, resultando, finalmente, num cheiro que me fez fugir do apartamento. Até altas horas da madrugada, pude ouvir o tilintar de seus tubos de ensaio, que me diziam que ele continuava envolvido em seu malcheiroso experimento.

De manhã bem cedo, acordei com um sobressalto, e me surpreendi ao vê-lo ao lado da minha cama, usando um traje rude de marinheiro, com um pesado casaco de lã e um lenço vermelho rústico no pescoço.

— Vou descer o rio, Watson — ele disse. — Andei revirando o caso em minha mente, e só vejo uma saída para ele. Vale a pena tentar, em todo caso.

— Certamente poderei acompanhá-lo, então? — eu disse.

— Não; você será muito mais útil se ficar aqui como meu representante. Lamento ter que ir, pois é bastante provável que alguma mensagem chegue durante o dia, embora Wiggins parecesse desanimado noite passada. Quero que você abra todos os bilhetes e telegramas e aja como julgar melhor, caso chegue alguma notícia. Posso confiar em você?

— Com toda a certeza.

— Temo que você não poderá me mandar telegramas, porque é difícil prever onde me encontrarei. Se tiver sorte, porém, não demorarei muito. Quando voltar, trarei alguma notícia.

Não soube nada dele até a hora do desjejum. Mas, ao abrir o *Standard*, encontrei uma nova alusão ao caso.

> Com relação à tragédia de Upper Norwood [dizia o artigo], temos razões para crer que a questão promete ser até mais complexa e misteriosa do que se imaginava de início. Novas evidências mostraram que é totalmente impossível que o Sr. Thaddeus Sholto tenha qualquer coisa a ver com o crime. Ele e a governanta, a Sra. Bernstone, foram liberados ontem à noite. Acredita-se, porém, que a polícia tenha uma pista dos verdadeiros culpados, e que ela esteja sendo seguida pelo Sr. Athelney Jones, da Scotland Yard, com toda a sua já famosa energia e sagacidade. Novas prisões são esperadas a qualquer momento.

"Até aí, é satisfatório", pensei. "O amigo Sholto está a salvo, pelo menos. Eu me pergunto qual seria a nova pista, embora isso pareça ser uma frase estereotipada, usada sempre que a polícia se atrapalha."

Joguei o jornal sobre a mesa, mas nesse momento vi um anúncio na seção de desaparecidos. Ele dizia o seguinte:

PERDIDO — Mordecai Smith, barqueiro, e seu filho Jim deixaram o Atracadouro Smith por volta das 3 horas na madrugada da última terça-feira, a bordo da lancha a vapor *Aurora*, preta com duas listras vermelhas, chaminé preta com uma listra branca. Cinco libras serão pagas a quem puder dar informações à Sra. Smith, no Atracadouro Smith, ou na Baker Street, 221B, sobre o paradeiro do mencionado Mordecai Smith e da lancha *Aurora*.

Aquilo era claramente obra de Holmes. O endereço da Baker Street bastava para provar. Achei bastante engenhoso, pois podia ser lido pelos fugitivos sem que vissem nele nada além da ansiedade natural de uma esposa pelo marido desaparecido.

Foi um dia longo. Cada vez que alguém batia à porta ou passos firmes vinham da rua, eu imaginava que era Holmes voltando ou alguma resposta ao seu anúncio. Tentei ler, mas meus pensamentos vagavam para nossa estranha busca e para a dupla improvável e criminosa que perseguíamos. Eu me perguntava se não haveria alguma falha radical no raciocínio do meu colega. Ele não estaria sofrendo de uma enorme autoilusão? Não seria possível que sua mente ágil e especulativa tivesse criado essa teoria fantástica a partir de premissas falsas? Eu jamais soubera de algum erro dele; no entanto, até o pensador mais astuto pode se enganar ocasionalmente. Ele estava propenso, pensei, a cair no erro devido ao refinamento exagerado de sua lógica — sua preferência por uma explicação sutil e bizarra quando outra mais simples e banal estaria ao seu alcance. Por outro lado, eu mesmo vira as evidências e ouvira os motivos de suas deduções. Quando eu recordava a longa cadeia de circunstâncias curiosas, muitas delas até triviais, mas todas apontando para a mesma direção, não tinha como esconder de mim mesmo que, até se a explicação de Holmes fosse incorreta, a verdadeira teoria deveria ser igualmente ousada e surpreendente.

Às 15 horas, ouviram-se um toque forte da campainha e uma voz autoritária no corredor, e para minha surpresa, ninguém menos que o Sr. Athelney Jones apareceu. Estava muito diferente, no entanto, do ríspido e magistral professor do senso comum que assumira o caso com tanta autoconfiança em Upper Norwood. Sua expressão era desanimada e seu porte, manso e até penitente.

— Bom dia, senhor; bom dia — ele disse. — O Sr. Sherlock Holmes saiu, fiquei sabendo.

— Sim, e não sei ao certo quando irá voltar. Mas talvez o senhor queira esperar. Sente-se naquela poltrona e prove um destes charutos.

— Obrigado; vou aceitar — ele disse, enxugando o rosto com um grande lenço vermelho.

— Uísque com soda?

— Bem, meia dose. Está muito quente para a época do ano, e tive muitas preocupações e dificuldades. Conhece minha teoria sobre esse caso de Norwood?

— Lembro que o senhor a expôs.

— Bem, fui obrigado a reconsiderá-la. Eu havia tecido uma teia apertada ao redor de Sholto, senhor, e de repente ele saiu por um buraco bem no meio dela. Foi capaz de apresentar um álibi inabalável. Desde que saiu do quarto do irmão, ele nunca ficou fora do alcance da vista de uma ou outra pessoa. Portanto, não poderia ter sido ele a escalar telhados e passar por alçapões. É um caso muito obscuro, e minha credibilidade profissional está em jogo. Eu ficaria muito feliz em ter alguma assistência.

— Todos precisamos de ajuda, às vezes — eu disse.

— Seu amigo, o Sr. Sherlock Holmes, é um homem maravilhoso, senhor — ele disse, em tom grave e confidencial. — É um homem que não se deixa derrotar. Já vi esse jovem trabalhar com muitos casos, mas nunca o vi deixar de lançar alguma luz sobre um deles. Ele é irregular em seus métodos, e talvez um pouco apressado ao tecer teorias, mas de maneira geral, acho que poderia ter sido um policial promissor, e não me importo em dizer isso. Recebi um telegrama dele esta manhã, do qual entendi que ele tem alguma pista sobre esse caso dos Sholto. Aqui está a mensagem.

Ele tirou o telegrama do bolso e me entregou. Fora postado de Poplar ao meio-dia.

Vá para a Baker Street imediatamente. Se eu ainda não tiver voltado, espere por mim. Estou seguindo de perto o bando do caso Sholto. O senhor pode ir comigo hoje à noite, se quiser estar presente na chegada.

— Bom sinal. Ele evidentemente encontrou o rastro de novo — eu disse.

— Ah, então ele também falhou — exclamou Jones, com evidente satisfação. — Até os melhores entre nós às vezes se perdem. Claro que isso pode ser um falso alarme, mas meu dever, como agente da lei, é não deixar nenhuma chance escapar. Mas alguém está à porta. Talvez seja ele.

Ouvimos passos pesados na escada, com muito arfar e tossir, como de um homem terrivelmente sem fôlego. Por uma ou duas vezes parou, como se a subida fosse demais para ele, mas por fim chegou à nossa porta e entrou. Sua aparência correspondia aos sons que ouvíramos. Era um homem idoso, trajando roupas de marinheiro, com um casaco grosso abotoado até o pescoço. Andava encurvado, com os joelhos trêmulos, e sua respiração era dolorosamente asmática. Enquanto se apoiava numa grossa bengala de carvalho, seus ombros se erguiam, no esforço de puxar ar para os pulmões. Ele usava um lenço colorido ao redor do queixo, e eu pouco podia ver do seu rosto, à parte um par de olhos penetrantes e escuros, coroados por grossas sobrancelhas brancas, e um bigode grisalho emendado às costeletas. De maneira geral, ele me dava a impressão de um respeitável marinheiro, vitimado pela idade e pela pobreza.

— O que foi, bom homem? — perguntei.

Ele olhou ao seu redor, à maneira lenta e metódica da idade avançada.

— O Sr. Sherlock Holmes está? — ele disse.

— Não; mas eu o represento. Pode me dar qualquer recado que tiver para ele.

— Preciso dar a ele pessoalmente — disse o homem.

— Mas já falei que eu o represento. É a respeito do barco de Mordecai Smith?

— Sim. Eu sei onde está. E sei onde estão os homens que ele procura. E sei onde está o tesouro. Sei tudo a respeito disso.

— Então me diga e eu o informarei.

— Preciso dizer a ele — o homem repetiu, com a obstinação petulante de alguém muito velho.

— Então vai ter que esperá-lo.

— Não, não; não vou perder o dia todo para agradar a ninguém. Se o Sr. Holmes não está aqui, então o Sr. Holmes que descubra tudo sozinho. Não gosto do jeitão de nenhum de vocês e não vou dizer uma palavra.

Ele se arrastou para a porta, mas Athelney Jones entrou na sua frente.

— Espere aí, amigo — ele disse. — O senhor tem informações importantes e não pode sair assim. Vamos mantê-lo aqui, querendo ou não, até que nosso amigo volte.

O velho tentou alcançar a porta, mas, como Athelney Jones apoiara as costas largas nela, ele reconheceu a inutilidade de sua resistência.

— Mas que belo tratamento! — o marinheiro exclamou, batendo com a bengala no chão. — Eu venho aqui ver um cavalheiro e vocês dois, que eu nunca vi na vida, me prendem e me tratam dessa maneira!

— O senhor não sairá prejudicado — eu disse. — Vamos recompensá-lo pela perda do seu tempo. Sente-se ali no sofá e não precisará esperar muito.

Ele atravessou a sala, muito agastado, e sentou-se com o rosto nas mãos. Jones e eu voltamos aos nossos charutos e à conversa. De repente, porém, a voz de Holmes nos interrompeu.

— Acho que você também deveria me oferecer um charuto — ele disse.

Ambos saltamos das poltronas. Lá estava Holmes, sentado perto de nós, com um ar silenciosamente divertido.

— Holmes! — exclamei. — Você aqui! Mas onde está o velho?

— Aqui está o velho — ele disse, mostrando um amontoado de cabelos brancos. — Aqui está ele: peruca, bigode, sobrancelhas e tudo. Achei que meu disfarce estava muito bom, mas não esperava que fosse passar nesse teste.

— Ah, seu bandido! — exclamou Jones, deliciado. — Poderia ter sido ator, e dos melhores. Acertou na tosse do miserável, e aquelas pernas bambas valem dez libras por semana. Pensei ter reconhecido o brilho dos seus olhos, todavia. Não fugiu de nós tão facilmente, viu?

— Trabalhei o dia todo usando esse disfarce — ele disse, acendendo seu charuto. — Veja bem, boa parte da classe dos criminosos já começa a me reconhecer; especialmente desde que nosso amigo aqui resolveu publicar alguns dos meus casos: portanto, só posso entrar na batalha usando algum disfarce simples, como este. Recebeu o meu telegrama?

— Sim, foi o que me trouxe aqui.

— Como vai o sucesso do seu caso?

— Não deu em nada. Precisei liberar dois dos meus suspeitos, e não há nenhuma prova contra os outros dois.

— Não importa. Vamos lhe dar mais dois para substituí-los. Mas o senhor precisa obedecer às minhas ordens. Pode ficar com todo o crédito oficial, mas precisa agir de acordo com minhas instruções. Combinado?

— Totalmente, se vai me ajudar a pegar os homens.

— Bem, então, em primeiro lugar, quero que um barco rápido da polícia, uma lancha a vapor, esteja na Escadaria de Westminster às 19 horas.

— Isso é fácil de conseguir. Sempre há um perto dali, mas posso atravessar a rua e telefonar, só para ter certeza.

— Também quero dois homens robustos, para o caso de haver resistência.

— Dois ou três estarão no barco. O que mais?

— Quando prendermos os homens, pegaremos o tesouro. Acho que seria um prazer, para o meu amigo aqui, levar o baú até a jovem dama à qual metade dele pertence por direito. Que ela seja a primeira a abrir. Certo, Watson?

— Seria um enorme prazer para mim.

— Um procedimento um tanto irregular — disse Jones, balançando a cabeça. — Por outro lado, a coisa toda é irregular, e suponho que devamos fazer vista grossa. Mas depois o tesouro precisa ser entregue às autoridades, até que termine a investigação oficial.

— Certamente. Isso é fácil de se providenciar. Outra questão. Eu gostaria muito de ouvir alguns detalhes da operação da boca do próprio Jonathan Small. O senhor sabe que gosto de conhecer todos os detalhes dos meus casos. Não haveria objeção a eu interrogá-lo extraoficialmente, aqui nos meus aposentos ou em outro lugar, contanto que ele seja eficientemente vigiado?

— Bem, o senhor está no controle da situação. Ainda não tenho nenhuma prova da existência desse Jonathan Small. No entanto, se puder pegá-lo, não vejo como eu poderia proibir o senhor de interrogá-lo.

— Estamos entendidos quanto a isso, então?

— Perfeitamente. Mais alguma coisa?

— Apenas que insisto para que jante conosco. O jantar estará pronto em meia hora. Eu trouxe ostras, um par de tetrazes e um vinhozinho branco dos bons. Watson, você ainda não reconheceu meus méritos como dono de casa.

dez
O FIM DO ILHÉU

Nossa refeição foi alegre. Holmes sabia falar incrivelmente bem, quando queria, e naquela noite ele queria. Ele parecia num estado de exaltação nervosa. Nunca o vi tão brilhante. Falou, em rápida sucessão, de vários assuntos — dramas religiosos, cerâmica medieval, violinos Stradivarius, o budismo no Ceilão e os navios de guerra do futuro —, abordando cada um como se tivesse feito um estudo especial a respeito. Seu humor luminoso denotava a reação à depressão negra dos dias anteriores. Athelney Jones provou ser uma alma sociável em seus instantes de relaxamento e aproveitou o jantar com o ar de um *bon vivant*. Quanto a mim, estava eufórico em pensar que nos aproximávamos do fim de nossa tarefa, e fui contagiado por um pouco da alegria de Holmes. Nenhum de nós se referiu, durante o jantar, à causa daquela reunião.

Depois que a mesa foi limpa, Holmes olhou para o relógio e encheu três copos com vinho do Porto.

— Um brinde — ele disse — ao sucesso de nossa pequena expedição. E agora, já está mais do que na hora de partirmos. Você tem uma pistola, Watson?

— Tenho meu velho revólver de serviço na escrivaninha.

— É melhor que o leve, então. É bom estar preparado. Vejo que a carruagem está à porta. Eu a pedi para às 18h30.

Passava um pouco das 19 horas quando chegamos ao atracadouro de Westminster e encontramos a lancha à nossa espera. Holmes a olhou com ar crítico.

— Ela tem algo que a identifique como um barco da polícia?

— Sim, essa lanterna verde na lateral.

— Então retire-a.

A pequena mudança foi efetuada, subimos a bordo e as amarras foram desatadas. Jones, Holmes e eu nos sentamos na popa. Havia um homem no timão, outro para cuidar da caldeira e dois robustos inspetores de polícia na proa.

— Para onde? — perguntou Jones.

— Para a Torre. Peça que parem diante do Estaleiro Jacobson.

Nossa embarcação, evidentemente, era muito veloz. Passamos como uma seta pelas longas filas de balsas carregadas, como se elas estivessem paradas. Holmes sorriu com satisfação quando ultrapassamos um vapor fluvial e o deixamos para trás.

— Devemos ser capazes de alcançar qualquer coisa neste rio — ele disse.

— Bem, nem tanto. Mas não há muitas lanchas que possam nos escapar.

— Precisamos alcançar a *Aurora*, e ela tem a reputação de ser um bólido. Vou explicar a situação, Watson. Lembra como fiquei aborrecido ao ser atrapalhado por algo tão pequeno?

— Sim.

— Bem, permiti um descanso completo à minha mente, mergulhando numa análise química. Um dos nossos maiores estadistas já disse que mudar de trabalho é o melhor descanso. E é mesmo. Quando consegui dissolver o hidrocarboneto em que estava trabalhando, voltei para nosso problema dos Sholto e refleti novamente sobre toda a questão. Meus garotos haviam subido e descido o rio sem resultados. A lancha não estava em nenhum atracadouro ou porto, e tampouco tinha retornado à sua base. No entanto, não poderia ter sido afundada para ocultar os rastros, embora essa continuasse sempre uma hipótese possível, caso todo o resto falhasse. Eu sabia que esse tal de Small tinha um certo grau de astúcia modesta, mas não o imaginava capaz de qualquer coisa próxima da refinação delicada. Isso é, em geral, produto da educação superior. Então, ponderei que, já que ele certamente estava em Londres havia algum tempo... como pudemos evidenciar pela vigilância contínua que ele mantinha sobre a Mansão Pondicherry... dificilmente poderia partir de imediato, mas precisaria de algum tempo, nem que fosse só um dia, para pôr os negócios em ordem. Essa era a soma das probabilidades, pelo menos.

— Parece-me uma teoria um tanto fraca — eu disse —; é mais provável que ele tenha posto seus negócios em ordem antes mesmo de partir para a sua expedição.

— Não, eu não concordo. Esse seu esconderijo seria para ele um refúgio valioso demais, num caso de necessidade, para que o abandonasse sem ter certeza de que não viria a precisar dele. Mas uma segunda consideração me ocorreu. Jonathan Small deve ter achado que a aparência peculiar do seu aliado, por mais que ele a disfarçasse, daria origem a mexericos e possivelmente seria associada a essa tragédia de Norwood. Ele era esperto o suficiente para perceber isso. Os dois partiram de seu quartel-general acobertados pela escuridão, e ele iria querer voltar antes que o dia raiasse. Bem, eram mais de três da madrugada, de acordo com a Sra. Smith, quando eles alugaram o barco. Já estaria bem claro, e as pessoas acordariam dentro de mais ou menos uma hora. Portanto, argumentei, eles não foram muito longe. Pagaram bem a Smith para manter a boca fechada, reservaram a lancha dele para a fuga final e correram para o alojamento, levando o baú do tesouro. Em poucas noites, depois de terem tempo para ver qual a abordagem do caso nos jornais, e se havia alguma suspeita, eles seguiriam na calada da noite para algum navio em Gravesend ou Downs, onde sem dúvida já haviam reservado passagens para a América ou as colônias.

— Mas e a lancha? Não poderiam tê-la levado para o alojamento.

— De fato. Imaginei que a lancha não deveria estar muito longe, apesar de sua invisibilidade. Então me coloquei no lugar de Small e encarei o problema como alguém com sua capacidade encararia. Ele provavelmente consideraria que mandar a lancha de volta ou mantê-la num atracadouro encurtaria a perseguição, se por acaso a polícia estivesse no seu encalço. Como, então, ele poderia esconder a lancha, ao mesmo tempo tendo-a à mão quando precisasse? Perguntei-me o que eu mesmo faria, se estivesse no lugar dele. Só consegui pensar numa maneira de fazê-lo. Entregaria a lancha a algum construtor de barcos ou carpinteiro, com instruções para fazer alguma pequena alteração nela. Então, ela seria levada para um barracão ou seu pátio, e assim ficaria eficazmente escondida, ao mesmo tempo que poderia ser recuperada em poucas horas.

— Parece bastante simples.

— Essas coisas muito simples estão sempre extremamente sujeitas a serem negligenciadas. No entanto, resolvi agir baseado nessa ideia. Parti sem demora nestas vestes de marujo inofensivo e inquiri em todos os estaleiros à beira do rio. Errei o alvo em quinze deles, mas no décimo-sexto, o de Jacobson, fiquei sabendo que a *Aurora* havia sido entregue a ele dois dias antes por um homem com uma perna de pau, com algumas instruções triviais sobre o leme. "Não há nada de errado com o leme", disse o carpinteiro. "Lá está ela, aquela com as listras vermelhas." Naquele momento, quem apareceu senão Mordecai Smith, o proprietário desaparecido. Ele tinha passado um pouco da conta com a bebida. Eu não o teria reconhecido, é claro, mas ele gritou a plenos pulmões seu nome e o nome de sua lancha. "Quero-a pronta hoje, às 20 horas", ele disse. "Às 20 horas em ponto, veja bem, pois tenho dois cavalheiros que não querem saber de esperar." Evidentemente, ele fora bem pago, porque estava com os bolsos forrados, jogando xelins às mancheias para os operários. Eu o segui à alguma distância, mas ele parou numa cervejaria: por isso voltei para o estaleiro e, encontrando um dos meus garotos no caminho, postei-o como sentinela, guardando a lancha. O menino foi instruído a ficar à margem do rio e agitar o lenço para nós quando ela partisse. Esperaremos na correnteza, e será muito estranho se não conseguirmos apreender os homens, o tesouro e tudo mais.

— O senhor planejou tudo muito bem, quer eles sejam os homens certos, quer não — disse Jones —; mas se o caso estivesse nas minhas mãos, eu mandaria um destacamento policial para o Estaleiro Jacobson e os prenderia assim que aparecessem.

— O que não aconteceria nunca. Esse tal de Small é um sujeito muito esperto. Ele vai mandar um batedor primeiro, e se qualquer coisa parecer suspeita, ficará em sua toca por mais uma semana.

— Mas você poderia ter seguido Mordecai Smith e encontrado o esconderijo deles — observei.

— Nesse caso, teria perdido o meu dia. Posso apostar cem contra um como Smith não sabe onde eles moram. Se lhe dão bebida e um bom pagamento, por que ele faria perguntas? Eles o instruem por mensagens. Não, eu considerei todas as ações possíveis, e esta é a melhor.

Enquanto essa conversa acontecia, passávamos celeremente pela longa série de pontes que atravessam o Tâmisa. Ao passarmos pela da Cidade, os últimos raios de sol douravam a cruz sobre a cúpula da Igreja de São Paulo. Escurecia quando chegamos à Torre.

— Aí está o Estaleiro Jacobson — disse Holmes, apontando para uma floresta de mastros e cordas do lado de Surrey. — Navegue devagar de um lado para o outro aqui, encoberto por esta fileira de balsas. — Ele tirou um par de binóculos do bolso e examinou a margem por algum tempo. — Vejo minha sentinela em seu posto — comentou —, mas nenhum sinal de um lenço.

E se ficarmos esperando por eles um pouco mais rio abaixo? — disse Jones, ansioso.

Todos estávamos ansiosos àquela altura, até os policiais e a tripulação, que tinha uma ideia muito vaga do que estava acontecendo.

— Não temos o direito de aceitar nada como garantido — Holmes respondeu. — Certamente, são dez chances contra uma de que descerão o rio, mas não podemos ter certeza. Deste ponto, podemos ver a entrada do estaleiro, e eles não podem nos ver. A noite será de céu limpo e iluminada. Precisamos ficar onde estamos. Veja quanta gente ali, à luz do lampião.

— Estão saindo do trabalho no estaleiro.

— Sujeitinhos mal-encarados e sujos, mas suponho que cada um traga escondida uma centelha imortal. Olhando para eles assim, não parece. Não existe nisso nenhuma probabilidade *a priori*. Estranho enigma é o homem!

— Há quem diga que ele é uma alma escondida num animal — sugeri.

— Winwood Reade fala bem desse assunto — disse Holmes. — Ele salienta que, enquanto o indivíduo isolado é um quebra-cabeças insolúvel, na coletividade ele se torna uma certeza matemática. Por exemplo, você jamais pode prever o que um único homem fará, mas pode dizer com precisão como se comportará um certo número deles. Os indivíduos variam, mas as porcentagens permanecem constantes. É o que dizem os estatísticos. Mas estou vendo um lenço? Certamente algo branco se agita ali.

— Sim, é o seu garoto — gritei. — Consigo vê-lo com clareza.

— E lá está a *Aurora* — exclamou Holmes —, numa pressa dos diabos! Toda a velocidade à frente, mestre. Siga aquela lancha com a luz amarela. Pelos céus, jamais vou me perdoar se ela nos escapar!

A lancha surgira sem ser vista na entrada do estaleiro e seguira por trás de dois ou três pequenos barcos, de modo que já estava a toda velocidade quando a avistamos. Agora ela voava rio abaixo, perto da margem, num ritmo tremendo. Jones olhou gravemente para ela e balançou a cabeça.

— É muito veloz — ele disse. — Duvido que consigamos alcançá-la.

— *Precisamos* alcançá-la! — gritou Holmes entre os dentes. Mais carvão, foguistas! Toda a velocidade possível! Precisamos pegá-los, nem que este barco exploda!

Já estávamos bem no encalço dela. As fornalhas rugiam e os potentes motores chiavam e estalavam como um grande coração de metal. Sua proa alta e fina cortava a água do rio e formava duas grandes ondas à nossa direita e à esquerda. A cada pulsação dos motores, saltávamos e tremíamos como um ser vivo. Uma grande lanterna amarela na proa projetava um funil de luz longo e bruxuleante à nossa frente. Lá adiante, um borrão escuro sobre a água indicava onde a *Aurora* estava, e o rastro de espuma branca atrás dela revelava a sua velocidade. Chispamos entre balsas, vapores, cargueiros, serpenteando, por trás de um e em volta de outro. Vozes nos saudavam na escuridão, mas a *Aurora* ainda trovejava à frente, e nós ainda seguíamos em seus calcanhares.

— Mais carvão, homens, mais carvão! — gritava Holmes, olhando para a sala das máquinas, enquanto o brilho feroz que saía dela iluminava seu rosto ansioso e aquilino. — O máximo que puderem, a todo vapor.

— Eu acho que nos aproximamos um pouco — disse Jones, de olhos fixos na *Aurora*.

— Eu tenho certeza — confirmei. — Estaremos ao lado dela daqui a poucos minutos.

Naquele momento, porém, como quis nosso destino cruel, um rebocador puxando três balsas cortou o nosso caminho. Somente diminuindo muito a velocidade evitamos a colisão, e antes que pudéssemos contorná-los e recuperar o terreno, a *Aurora* já havia se distanciado quase duzentos metros. Ela continuava, no entanto, bem à vista, e o crepúsculo nebuloso e incerto se transformava numa noite clara e estrelada. Nossas caldeiras estavam no limite e o casco frágil rangia e vibrava com a energia feroz que nos impelia. Tínhamos atravessado a enseada, passado pelas Docas das Índias Ocidentais, pelo longo trecho reto de Deptford, e ressurgido depois de contornar a Ilha dos Cães. O borrão indefinido diante de nós agora assumira claramente a forma da bela *Aurora*. Jones apontou nossa lanterna para ela, para que pudéssemos ver claramente as figuras no seu convés. Um homem estava sentado na popa, com algo negro entre os joelhos, sobre o qual estava debruçado. Ao seu lado, uma massa escura que parecia um cão de terra-nova. O rapaz segurava o timão, enquanto, diante do brilho vermelho da fornalha, eu podia ver o velho Smith, de peito nu, lançando carvão nela feito um louco. Talvez eles tivessem alguma dúvida, de início, quanto a se os estávamos mesmo perseguindo, mas agora que acompanhávamos cada curva e manobra que eles faziam, isso já era inquestionável. Em Greenwich, estávamos uns trezentos passos atrás deles. Em Blackwall, não podíamos estar a mais de duzentos e cinquenta. Já cacei muitas criaturas em muitos países durante a minha irregular carreira, mas caçada alguma jamais me proporcionou uma emoção mais selvagem do que aquela louca e veloz perseguição pelo Tâmisa. Nós nos aproximávamos deles inexoravelmente, metro por metro. No silêncio da noite, conseguíamos ouvir o ofegar e estalar de suas máquinas. O homem na popa continuava agachado sobre o convés, e seus braços se moviam como se ele estivesse ocupado, enquanto ocasionalmente ele erguia a cabeça e media com o olhar a distância que ainda nos separava. Estávamos cada vez mais próximos. Jones gritou para que parassem. Estávamos a menos de quatro barcos atrás deles, as duas embarcações voando num ritmo tremendo. Era uma parte deserta do rio, com Barking Level de um lado e os melancólicos Pântanos Plumstead do outro. Ao nosso chamado, o homem da popa saltou de pé e agitou os dois punhos cerrados contra nós, praguejando, enquanto fazia isso, numa voz aguda e rouca. Era um homem forte e corpulento, e quando abriu as pernas, pude ver que da coxa para baixo ele tinha só uma coluna de madeira do lado direito. Ao som de seus gritos estridentes e furiosos, seguiu-se um movimento do volume amontoado no convés. Ele se endireitou e se revelou um homenzinho escuro — o menor que eu já vira — com uma grande cabeça deformada e um chumaço de cabelos embaraçados e despenteados. Holmes já sacara seu revólver, e eu puxei o meu ao avistar aquela criatura distorcida e selvagem. Ele estava enrolado em alguma espécie de casaco ou cobertor escuro, que deixava só a sua face exposta, mas aquela face era suficiente para causar uma noite de insônia. Eu jamais vira traços tão profundamente marcados pela bestialidade e crueldade. Seus olhos pequeninos brilhavam e ardiam com uma luz tétrica, e seus lábios grossos estavam arreganhados, revelando os dentes, que rangiam e batiam para nós com uma fúria semianimalesca.

— Se ele erguer a mão, atire — Holmes disse em voz baixa. Estávamos a um barco de distância, àquela altura, e quase encostando em nossa presa. Ainda posso ver os dois, de pé ali, o homem branco com as pernas bem abertas, rogando pragas com voz esganiçada, e o diabólico pigmeu com seu rosto hediondo e fortes dentes amarelados rosnando para nós à luz da nossa lanterna.

Ainda bem que podíamos vê-lo tão claramente. Enquanto o observávamos, ele tirou de seus panos um pedaço de madeira curto e arredondado, como uma régua, e o levou aos lábios.

Nossas pistolas dispararam em uníssono. Ele girou o corpo, levantou os braços e, com uma espécie de tosse sufocada, caiu de lado na água. Vi de relance seus olhos venenosos e ameaçadores em meio à turbulência branca das águas. No mesmo momento, o homem da perna de pau se jogou sobre o timão e o virou com força, de modo que a lancha seguiu em linha reta para a margem sul, enquanto passávamos perto de sua proa, evitando a colisão por poucos centímetros. Viramos e a seguimos num instante, mas ela já estava quase na margem. Era um lugar selvagem e desolado, onde a lua brilhava sobre uma grande área pantanosa, com poças de água estagnada e montes de vegetação apodrecida. A lancha, com um baque surdo, subiu na margem lodosa, com a proa no ar e a popa encostando na água. O fugitivo correu, mas sua perna de pau instantaneamente afundou por completo no solo encharcado. Em vão ele lutou e se debateu. Não conseguia dar um único passo para a frente ou para trás. Gritava de frustração e raiva e esperneava freneticamente na lama com a outra perna, mas seus esforços só afundavam mais a coluna de madeira na margem lamacenta. Quando nos aproximamos com nossa lancha, ele estava ancorado tão firmemente que foi preciso passar uma corda por seus ombros para içá-lo e arrastá-lo, como um peixe dos infernos, para o nosso lado. Os dois Smith, o pai e o filho, estavam sentados na lancha, tristonhos, mas subiram a bordo bem mansamente quando mandamos. Desencalhamos a própria *Aurora* e a amarramos à nossa popa. Um baú de ferro maciço, com motivos indianos, estava no convés. Aquele, não restava dúvida, era o mesmo que continha o malfadado tesouro dos Sholto. Não havia chave, mas ele era de peso considerável, por isso o transferimos cuidadosamente para nossa pequena cabine. Enquanto navegávamos lentamente rio acima de novo, projetamos o facho de nossa lanterna em todas as direções, mas não havia nem sinal do ilhéu. Em algum lugar do lodo escuro no fundo do Tâmisa, jazem os ossos desse estranho visitante dos nossos portos.

— Veja — disse Holmes, apontando para o alçapão de madeira. — Por pouco não disparamos nossas pistolas tarde demais. — Ali, de fato, um pouco atrás de onde nós estivéramos, um daqueles dardos assassinos que conhecíamos tão bem havia se cravado. Deve ter passado entre nós no instante em que atiramos. Holmes sorriu ao vê-lo e deu de ombros de seu modo tranquilo, mas confesso que senti náuseas, pensando na morte horrível que passara tão perto de nós naquela noite.

onze
O GRANDE TESOURO DE AGRA

Nosso prisioneiro estava na cabine, em frente ao baú de ferro que ele tanto fizera e tanto esperara para reaver. Era um sujeito queimado de sol e de olhar cruel, com uma rede de rugas cobrindo todos os seus traços de mogno, que contavam uma vida dura, vivida ao ar livre. Havia uma altivez singular em seu queixo barbado, que indicava um homem que não era facilmente desviado de seu propósito. Devia ter por volta dos 50 anos de idade, porque sua barba cacheada e negra estava bastante pontilhada de grisalho. Em repouso, seu rosto não era desagradável, embora suas sobrancelhas grossas e queixo agressivo lhe dessem, conforme eu vira nos últimos momentos, uma expressão terrível quando enfurecido. Ele estava sentado, agora, com as mãos algemadas no regaço e a cabeça afundada no peito, enquanto fitava com seus olhos astutos e reluzentes o baú que fora a causa de seus malfeitos. Parecia-me que havia mais sofrimento do que ira em seu semblante rígido e contido. Uma vez, ele me olhou com um toque de algo como humor nos olhos.

— Bem, Jonathan Small — disse Holmes, acendendo um charuto —, lamento que tenha chegado a isto.

— Também lamento, senhor — ele respondeu sinceramente. — Não acho que eu deva ser enforcado por esse serviço. Dou minha palavra sobre a Bíblia que nunca levantei um dedo contra o Sr. Sholto. Foi aquele cão dos infernos, Tonga, que lançou um dos malditos dardos contra ele. Não tomei parte nisso, senhor. Fiquei tão arrasado como se ele fosse meu parente de sangue. Açoitei o camaradinha com a ponta da corda por isso, mas estava feito, e eu não tinha como desfazer.

— Aceite um charuto — disse Holmes —; e é melhor tomar um gole do meu uísque, pois está todo encharcado. Como esperava que alguém tão pequeno e fraco quanto aquele sujeitinho dominasse o Sr. Sholto e o segurasse enquanto você subia pela corda?

— O senhor parece saber de tudo como se tivesse presenciado. A verdade era que eu esperava encontrar o quarto vazio. Conhecia muito bem os hábitos da casa, e naquele horário, normalmente, o Sr. Sholto descia para jantar. Não farei segredos sobre o assunto. A melhor defesa, para mim, é a pura verdade. Pois então, se eu fosse o velho major, teria atacado o sujeitinho sem nenhum peso na consciência. Não teria hesitado em apunhalá-lo mais do que em fumar este charuto. Mas é uma dureza dos infernos ter que ser preso por causa desse jovem Sholto, contra quem eu não tinha absolutamente nada.

— Você está sob a guarda do Sr. Athelney Jones, da Scotland Yard. Ele vai levá-lo aos meus aposentos e eu pedirei um relato sincero da questão. Você precisa se abrir completamente, porque se o fizer, espero poder ajudá-lo. Acho que posso provar que o veneno age tão rapidamente que o homem estava morto antes que você entrasse no quarto.

— Estava mesmo, senhor. Nunca levei um susto maior na minha vida do que quando o vi sorrindo para mim, com a cabeça encostada no ombro, ao entrar pela janela. Aquilo me abalou muito, senhor. Eu quase teria matado Tonga se ele não tivesse fugido. Foi por isso que ele esqueceu a marreta e também alguns dardos, segundo me contou depois; dardos esses que, ouso dizer, ajudaram a pôr o senhor no nosso encalço; embora eu não entenda como não conseguimos despistá-lo. Não lhe guardo nenhum rancor por isso. Mas me parece estranho — ele acrescentou, com um sorriso amargo —, que eu, que por justiça teria direito a quase meio milhão, tenha passado a primeira metade da minha vida construindo um quebra-ondas nas Ilhas Andamã, e provavelmente venha a passar a outra metade cavando valas em Dartmoor. Foi um dia terrível, para mim, aquele em que pela primeira vez pus os olhos no mercador Achmet e me envolvi com o tesouro de Agra, que nunca trouxe nada além de maldições para todos que o possuíram. Para Achmet, trouxe a morte, para o major Sholto, trouxe medo e culpa, e para mim, significou uma vida de escravidão.

Nesse momento, Athelney Jones enfiou seu rosto largo e seus ombros pesados na pequena cabine.

— Que bela reunião de família — ele comentou. — Acho que vou tomar um gole desse uísque, Holmes. Bem, eu diria que todos podemos nos parabenizar. Pena que não capturamos o outro com vida, mas não havia escolha. Holmes, confesse que foi por um triz. Alcançamos a lancha por pouco.

— Tudo está bem quando acaba bem — disse Holmes. — Mas eu certamente não sabia que a *Aurora* era tão veloz.

— Smith diz que é uma das lanchas mais velozes do rio, e que se ele tivesse mais um homem para ajudá-lo nas caldeiras, jamais a teríamos alcançado. Ele jura que não sabia nada sobre esse caso de Norwood.

— Não sabia mesmo — exclamou nosso prisioneiro —, nem uma palavra. Escolhi a lancha dele porque ouvi falar de sua rapidez. Não contamos nada a ele; mas lhe pagávamos bem, e ele teria recebido uma bela recompensa caso chegássemos ao nosso navio, o *Esmeralda*, em Gravesend, que estava de partida para os Brasis.*

---

* No plural no original. Até o século XIX, era comum referir-se ao Brasil no plural. (N. T.)

— Bem, se ele não fez nada de errado, cuidaremos para que nenhuma injustiça lhe seja feita. Se somos bem rápidos em prender nossos suspeitos, não somos tão rápidos em condená-los. — Era divertido notar como o pedante Jones já começava a se vangloriar da captura dos culpados. A julgar pelo tênue sorriso que despontava no rosto de Sherlock Holmes, era evidente que ele também tinha notado o tom do discurso.

— Logo estaremos na Ponte Wauxhall — disse Jones —, e eu deixarei o senhor, Dr. Watson, com o baú do tesouro. Sei que nem preciso dizer que estou assumindo uma enorme responsabilidade ao fazer isso. É totalmente irregular, mas, claro, um acordo é um acordo. Sou obrigado, no entanto, em nome do dever, a mandar um inspetor com o senhor, já que sua carga é tão preciosa. Irá de carruagem, sem dúvida?

— Sim, irei.

— Pena que não haja uma chave, senão poderíamos fazer um inventário primeiro. O senhor terá que arrombá-lo. Onde está a chave, homem?

— No fundo do rio — disse secamente Small.

— Hum! Não era preciso acrescentar esse empecilho desnecessário. Você já nos deu trabalho suficiente. De qualquer forma, doutor, não preciso alertá-lo para que tome cuidado. Leve o baú consigo quando voltar para a Baker Street. Vai nos encontrar ali, a caminho da chefatura.

Eles me deixaram na Vauxhall, com meu pesado baú de ferro e um inspetor bonachão e amável como acompanhante.

Um quarto de hora de viagem nos levou à casa da Sra. Cecil Forrester. A criada pareceu surpresa com a visita em hora tão tardia. A Sra. Cecil Forrester tinha saído, ela explicou, e provavelmente voltaria muito tarde. A Srta. Morstan, no entanto, estava no salão; portanto, para lá eu fui, com o baú na mão, deixando o compreensivo inspetor na carruagem.

Ela estava sentada perto da janela aberta, vestida com alguma espécie de tecido branco diáfano, com um toque escarlate na gola e na cintura. Recostada na cadeira de vime, a luz suave de um abajur a banhava, dançando sobre seu rosto doce e sério, e tingindo com um brilho baço e metálico as ricas madeixas de sua abundante cabeleira. Um braço e uma mão branca repousavam sobre o lado da cadeira, e toda a sua atitude e aparência denotavam uma melancolia envolvente. Ao som dos meus passos, ela saltou de pé, no entanto, e um rubor vivo de surpresa e prazer coloriu-lhe as faces pálidas.

— Ouvi uma carruagem parando — ela disse. — Achei que a Sra. Forrester tivesse voltado muito cedo, nem sonhava que poderia ser o senhor. Que notícias me trouxe?

— Trouxe algo melhor do que notícias — eu disse, deixando o baú sobre a mesa e falando com tom jovial e jactancioso, embora o coração pesasse no meu peito. — Trago algo que vale mais do que todas as notícias do mundo. Trago uma fortuna.

Ela olhou para o baú de ferro.

— Esse é o tesouro, então? — ela perguntou, bastante tranquila.

— Sim, é o grande tesouro de Agra. Metade é seu e metade de Thaddeus Sholto. Cada um ficará com algumas centenas de milhares de libras. Pense nisso! Poucas jovens da Inglaterra serão mais ricas. Não é glorioso?

Acho que devo ter exagerado no meu deleite, e que ela notou o tom oco de minhas congratulações, pois vi suas sobrancelhas se erguerem um pouco, e ela me olhou com curiosidade.

— Se eu tenho isso — ela disse —, devo ao senhor.

— Não, não — respondi —, não a mim, mas ao meu amigo Sherlock Holmes. Nem com toda a vontade do mundo eu poderia ter seguido um rastro como esse, que muito exigiu até do gênio analítico dele. De fato, por muito pouco não o perdemos no último momento.

— Por favor, sente-se e conte-me tudo a respeito, Dr. Watson — ela disse.

Narrei brevemente o que acontecera desde a última vez em que a vi: o novo método de busca de Holmes, a descoberta da *Aurora*, a aparição de Athelney Jones, nossa expedição noturna e a tresloucada perseguição pelo Tâmisa. Ela ouviu com lábios entreabertos e olhos brilhantes o relato que fiz das nossas aventuras. Quando falei do dardo que não nos atingiu por pouco, ela ficou tão branca que temi que fosse desmaiar.

— Não é nada — ela disse, enquanto eu me apressava em dar-lhe um pouco d'água. — Já estou bem de novo. Foi um choque, para mim, saber que expus meus amigos a um perigo tão horrível.

— Tudo isso já acabou — respondi. — Não foi nada. Não contarei mais detalhes sombrios. Vamos falar de algo mais brilhante. Lá está o tesouro. O que poderia ser mais brilhante do que isso? Consegui a permissão para trazê-lo comigo, achando que lhe interessaria ser a primeira a vê-lo.

— Seria do maior interesse para mim — ela disse. Não havia sofreguidão em sua voz, porém. Sem dúvida, ela percebera que poderia parecer ingrato, de sua parte, ficar indiferente a um troféu conquistado a tão duras penas.

— Que baú lindo! — ela disse, inclinando-se sobre ele. — É de origem indiana, suponho?

— Sim, foi forjado em Benares.

— E tão pesado! — ela exclamou, tentando erguê-lo. — Só o baú já deve valer alguma coisa. Onde está a chave?

— Small a jogou no Tâmisa — respondi. Vou precisar do atiçador da Sra. Forrester.

Na frente havia um trinco grosso e largo, com a imagem de um Buda sentado. Enfiei a ponta do atiçador por baixo dele e o puxei para fora, como uma alavanca. O trinco se abriu com um forte estalo. Com dedos trêmulos, ergui a tampa. Ambos ficamos olhando, petrificados. O baú estava vazio!

O peso não era de se admirar. O ferro tinha um centímetro e meio de espessura em todos os lados. Era maciço, bem feito e sólido, como um baú construído para levar coisas de grande valor, mas não havia nem um fragmento de metal ou pedra preciosa dentro dele. Estava absoluta e completamente vazio.

— O tesouro se perdeu — disse a Srta. Morstan calmamente.

Ao ouvir aquelas palavras e entender o seu significado, uma grande sombra pareceu se afastar da minha alma. Eu não fazia ideia do quanto aquele tesouro de Agra gravava sobre mim até aquele momento, quando o fardo finalmente foi retirado. Era egoísta, sem dúvida; desleal, errado, mas eu não conseguia pensar em nada, a não ser que aquela barreira dourada entre nós desaparecera.

— Graças a Deus! — exclamei, do fundo do coração.

Ela me olhou com um sorriso ligeiro e cheio de curiosidade.

— Por que diz isso? — perguntou.

— Porque você está ao meu alcance novamente — eu disse, tomando sua mão. Ela não a retirou. — Porque eu a amo, Mary, como jamais um homem amou uma mulher. Porque esse tesouro, essa riqueza, selava-me os lábios. Agora que se foi, posso dizer o quanto a amo. Por isso eu disse: "Graças a Deus".

— Então eu também digo: "Graças a Deus" — ela murmurou, quando a puxei para perto de mim. Quem quer que fosse que perdera um tesouro, naquela noite eu sabia que havia ganhado um.

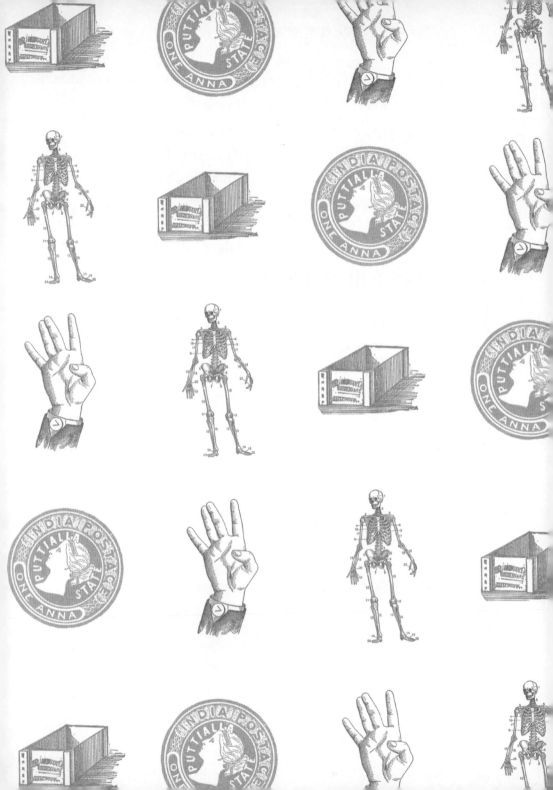

doze
A ESTRANHA HISTÓRIA DE JONATHAN SMALL

Foi muito paciente aquele inspetor na carruagem, porque demorei um bocado para voltar. Sua expressão se anuviou quando lhe mostrei o baú vazio.

— Lá se vai a recompensa! — ele disse tristemente. — Onde não há dinheiro, não há pagamento. O trabalho desta noite iria valer dez libras cada para mim e Sam Brown, se o tesouro estivesse aí.

— O Sr. Thaddeus Sholto é rico — eu disse —; recompensará vocês, com ou sem tesouro.

O inspetor balançou a cabeça com desânimo mesmo assim.

— É um trabalho malfeito — ele repetiu —; e o Sr. Athelney Jones também vai achar isso.

Sua previsão provou estar correta, já que o detetive pareceu bem apático quando cheguei à Baker Street e lhe mostrei o baú vazio. Eles haviam acabado de chegar, Holmes, o prisioneiro e ele, pois mudaram os planos e resolveram se apresentar antes a uma chefatura de polícia no caminho. Meu colega estava refestelado em sua poltrona, com sua costumeira expressão letárgica, enquanto Small estava sentado diante dele, impassível, com a perna de pau cruzada sobre a boa. Quando exibi o baú vazio, ele jogou a cabeça para trás e riu alto.

— Isso é obra sua, Small — disse Athelney Jones, furioso.

— Sim, eu o guardei num lugar onde os senhores jamais poderão colocar as mãos nele — gritou Small, exultante. — O tesouro é meu, e se eu não puder tê-lo, cuidarei muito bem para que ninguém mais o tenha. Estou dizendo que nenhum homem vivo tem direito a ele além dos três que estão no presídio das Ilhas Andamá e eu. Agora sei que não vou poder usufruir dele, e sei que eles também não podem. Fiz tudo isso tanto em nome deles quanto no meu. Conosco, sempre foi o signo dos quatro. Portanto, sei que eles iriam querer que eu fizesse exatamente o que fiz, jogar o tesouro no Tâmisa, em vez de permitir que ficasse com algum parente de Sholto ou de Morstan. Não foi para enriquecê-los que matamos Achmet. Os senhores acharão o tesouro no mesmo lugar onde estão a chave e o pequeno Tonga. Quando vi que sua lancha iria nos alcançar, guardei a fortuna num lugar seguro. Esta jornada não lhes valerá nenhuma rúpia.

— Está nos enganando, Small — disse Athelney Jones severamente —; se quisesse jogar o tesouro no Tâmisa, teria sido mais fácil jogá-lo com baú e tudo.

— Mais fácil, para mim, jogá-lo e mais fácil para os senhores recuperá-lo — ele respondeu, com um olhar astuto de soslaio. — O homem que foi esperto o suficiente para me encontrar é esperto o suficiente para tirar um baú de ferro do fundo de um rio. Agora que as joias estão espalhadas por uns oito quilômetros do leito, o trabalho pode ser mais difícil. Partiu-me o coração fazer isso, porém. Eu estava quase fora de mim quando os senhores nos alcançaram. De qualquer forma, não adianta lamentar por isso. Já tive altos na minha vida e já tive baixos, mas aprendi a não chorar sobre o leite derramado.

— Esse é um assunto muito sério, Small — disse o detetive. — Se você tivesse ajudado a polícia, em vez de atrapalhá-la dessa maneira, teria chances muito melhores no seu julgamento.

— Justiça! — rosnou o ex-presidiário. — Bela justiça essa! De quem é o tesouro, se não é nosso? Onde está a justiça em cedê-lo àqueles que nunca trabalharam por ele? Vejam como eu trabalhei! Vinte longos anos naquele pântano febril, o dia todo me esfalfando no manguezal, a noite toda acorrentado nas barracas imundas dos prisioneiros, picado por mosquitos, tremendo com maleita, abusado por cada maldito policial de pele escura que já quis se vingar de um homem branco. Foi assim que fiz por merecer o tesouro de Agra, e os senhores não me venham falar de justiça porque não suporto saber que paguei esse preço apenas para que outra pessoa desfrute dele! Prefiro ser enforcado vinte vezes, ou levar um dos dardos de Tonga no couro, a viver numa cela de prisão sabendo que outro homem está confortável em seu palácio com o dinheiro que deveria ser meu.

Small abandonara sua máscara de estoicismo, e tudo isso saiu num turbilhão feroz de palavras, enquanto seus olhos chispavam e as algemas tilintavam com os movimentos passionais de suas mãos. Pude entender, quando vi a fúria e a paixão desse homem, que não era infundado o terror que acometera o major Sholto ao saber que o presidiário injuriado estava em seu encalço.

— Você se esquece de que não sabemos nada disso — Holmes replicou em voz baixa. — Não ouvimos sua história, e não temos como saber o quanto a justiça poderia originalmente estar do seu lado.

— Bem, o senhor foi muito honesto comigo, embora eu saiba que é ao senhor que devo agradecer por ter estes braceletes nos pulsos. Ainda assim, não lhe quero mal por isso. Tudo está certo e evidente. Se quiser ouvir minha história, não desejo escondê-la. O que vou dizer é a verdade, em nome de Deus, cada palavra. Obrigado, pode deixar o copo aqui ao meu lado, e molharei os lábios nele se ficar com a boca seca.

"Nasci em Worcestershire, perto de Pershore. Ouso dizer que os senhores encontrariam muitos do clã Small ainda morando ali, se procurassem. Já pensei muitas vezes em dar uma olhada por lá, mas a verdade é que nunca fui exatamente o orgulho da família, e duvido que eles ficariam muito contentes em me ver. Eram todos gente de bem, religiosa, pequenos fazendeiros, conhecidos e respeitados em toda a zona rural, enquanto eu sempre fui meio andarilho. De qualquer forma, quando eu tinha uns 18 anos, finalmente parei de lhes dar problemas, pois me meti numa enrascada por causa de uma garota e só consegui me safar aceitando o soldo da rainha e me alistando no 3º Buffs,* que estava de partida para a Índia.

"Não era meu destino ser soldado por muito tempo, todavia. Acabara de aprender a marchar a passo de ganso e a manusear meu fuzil, quando fui tolo o suficiente para ir nadar no Ganges. Por sorte, o sargento da minha companhia, John Holder, estava na água naquele momento, e era um dos melhores nadadores do exército. Um crocodilo me pegou quando eu já ia ao meio da travessia e decepou minha perna direita com a precisão de um cirurgião, logo acima do joelho. Com o choque e a perda de sangue, desmaiei, e teria me afogado se Holder não me agarrasse e me arrastasse para a margem. Fiquei cinco meses no hospital por causa

---

* Nome dado ao 3º Regimento de Infantaria de East Kent, um dos mais antigos do exército britânico. (N. T.)

disso, e quando finalmente pude sair manquitolando de lá, com este pedaço de madeira afivelado ao meu coto de perna, vi-me afastado do exército por invalidez e incapacitado para qualquer ocupação ativa.

"Eu estava, como podem imaginar, numa maré de azar nessa época, porque era um aleijado inútil, embora tivesse menos de 20 anos. De qualquer forma, meu infortúnio logo provaria ser uma bênção disfarçada. Um homem chamado Abel White, que se estabelecera ali para plantar anileiras, queria um supervisor para cuidar de seus trabalhadores hindus e mantê-los em atividade. Por acaso, ele era amigo de nosso coronel, que se interessara por mim depois do acidente. Encurtando a história, o coronel me recomendou com veemência para o cargo, e como a maior parte do trabalho era feita a cavalo, minha perna não seria um grande obstáculo, pois o que me restava de coxa era suficiente para ficar bem firme sobre a sela. O que eu precisava fazer era cavalgar pela plantação, ficar de olho nos homens enquanto trabalhavam e denunciar os preguiçosos. O salário era justo, minhas acomodações eram confortáveis, e de maneira geral, eu estava satisfeito em passar o resto da vida no cultivo de anileiras. O Sr. Abel White era um homem bondoso e aparecia com frequência na minha pequena cabana para fumar cachimbo comigo, já que os brancos ali se tornam muito mais próximos do que aqui, na nossa terra natal.

A ESTRANHA HISTÓRIA DE JONATHAN SMALL

"Bem, eu nunca tive sorte por muito tempo. De repente, sem nenhum aviso, o grande motim* eclodiu. Um mês, a Índia era tão calma e pacífica, em toda aparência, quanto Surrey ou Kent; no mês seguinte, duzentos mil demônios de pele escura estavam à solta, e o país se tornara o próprio inferno. Claro que os senhores já sabem tudo a respeito, cavalheiros — muito mais do que eu, provavelmente, pois não sou muito afeito à leitura. Só sei o que vi com meus próprios olhos. Nossa fazenda ficava num lugar chamado Muttra, perto da fronteira das Províncias do Noroeste. Noite após noite, o céu todo era iluminado pelos bangalôs em chamas, e dia após dia, pequenos grupos de europeus passavam pela nossa propriedade, com suas esposas e filhos, a caminho de Agra, onde estavam as tropas mais próximas. O Sr. Abel White era um homem obstinado. Enfiou na cabeça que a coisa toda era um exagero e que a poeira baixaria tão de repente quanto se levantara. Lá estava ele, sentado em sua varanda, tomando doses de uísque e fumando charutos indianos, enquanto o país pegava fogo ao seu redor. Claro que ficamos com ele, eu e Dawson, o qual, com sua esposa, cuidava da contabilidade e da administração. Bem, um belo dia a catástrofe aconteceu. Eu havia passado o dia trabalhando numa parte distante da plantação e cavalgava lentamente para casa à tardinha, quando meus olhos pousaram sobre algo

---
* A Rebelião Indiana das tropas nativas contra o domínio britânico da colônia, em 1857. (N. T.)

amontoado no fundo de uma vala íngreme. Desci lá para ver o que era, e meu coração gelou quando descobri que era a esposa de Dawson, retalhada em tiras e semidevorada por chacais e cães nativos. Um pouco mais à frente na estrada, o próprio Dawson estava jogado de bruços, bem morto, com um revólver descarregado na mão e quatro *sepoys** caídos para os lados, diante dele. Puxei as rédeas do meu cavalo, me perguntando para que lado ir; mas naquele momento vi uma fumaça espessa subindo do bangalô de Abel White, e as chamas começando a sair pelo telhado. Foi então que percebi que não teria como ajudar meu patrão, e só iria jogar minha vida fora, caso me intrometesse no assunto. De onde eu estava, podia ver centenas daqueles facínoras escuros, ainda usando seus casacos vermelhos, dançando e uivando ao redor da casa em chamas. Alguns apontaram para mim, e balas zuniram perto da minha cabeça: por isso saí em disparada pelos arrozais e me encontrei, tarde da noite, a salvo dentro das muralhas de Agra.

"Como ficou provado, porém, não havia tanta segurança nem ali. O país todo estava em revolta, como um enxame de abelhas. Onde quer que os ingleses conseguissem se reunir em pequenos grupos, só eram capazes de dominar o terreno que o alcance de suas armas abrangia. Em qualquer outro lugar, eles eram fugitivos indefesos. Era uma luta de milhões contra

---

* Nome dado aos soldados indianos nativos que serviam sob o comando britânico. (N. T.)

centenas; e a parte mais cruel disso era que esses homens contra os quais lutávamos, infantaria, cavalaria e artilharia, eram as próprias tropas selecionadas por nós, às quais tínhamos ensinado e treinado, ainda usando nossas armas e dando nossos toques de trombeta. Em Agra estavam a 3ª Fuzilaria de Bengala, alguns *sikhs*, duas tropas de cavalaria e uma bateria de artilharia. Uma brigada voluntária de empregados e comerciantes se formara, e eu me juntei a ela, com perna de pau e tudo. Fomos enfrentar os rebeldes em Shahgunge no início de julho, e os rechaçamos por algum tempo, mas nossa munição acabou e precisamos recuar para a cidade.

"Só as piores notícias nos chegavam de todos os lados — o que não é de se admirar, pois, se olharem no mapa, verão que estávamos bem no meio da coisa. Lucknow fica pouco mais de 160 km ao leste, e Cawnpore, mais o menos a mesma distância ao sul. De todos os pontos cardeais, não vinha nada além de tortura, morte e ultraje.

"A cidade de Agra é grande, coalhada de fanáticos e ferozes adoradores do demônio de todos os tipos. Nosso punhado de homens se perdia em meio às ruas estreitas e tortuosas. Nosso líder atravessou o rio, portanto, e se posicionou no velho forte de Agra. Não sei se algum dos cavalheiros já leu ou ouviu falar daquele velho forte. É um lugar muito esquisito — o mais esquisito que já visitei, e olhem que já estive em muitos fins de mundo. Para começar, aquilo é enorme. Acho que são hectares e hectares dentro das muralhas. Há uma parte moderna, que abrigou toda a nossa guarnição, mulheres, crianças, depósitos e tudo mais, e ainda sobrou muito espaço. Mas a parte moderna não se compara ao tamanho da ala antiga, aonde ninguém vai, e que está entregue aos escorpiões e centopeias. Ela é cheia de grandes salões desertos, passagens curvas, longos corredores que serpenteiam para todo lado, de modo que é muito fácil se perder por lá. Por esse motivo, raramente alguém entrava ali, embora de vez em quando um grupo com tochas fosse explorá-la.

"O rio banha a frente do velho forte, e assim o protege, mas nas laterais e nos fundos há muitas portas, e elas precisavam ser vigiadas, é claro, tanto na ala antiga quanto naquela que realmente estava ocupada pelas nossas tropas. Nosso número era insuficiente, mal havia homens para guardar os cantos do edifício e carregar as armas. Era impossível para nós, portanto, postar uma guarda reforçada em cada um dos incontáveis portões. O que fizemos foi organizar um posto central de guarda no meio do forte e deixar cada portão aos cuidados de um homem branco e dois ou três nativos. Eu fui escolhido para montar guarda durante certas horas da noite numa portinha isolada no lado sudoeste do edifício. Dois tropeiros *sikhs* foram colocados sob meu comando, e minhas instruções, caso qualquer coisa desse errado, eram para disparar meu fuzil, ao que eu poderia contar com a ajuda que viria imediatamente do posto central. Como ele ficava a uns bons duzentos passos dali, porém, do outro lado de um labirinto de passagens e corredores, eu tinha fortes dúvidas quanto à possibilidade de chegarem a tempo de ajudar, no caso de um ataque.

"Bem, eu estava muito orgulhoso por ter recebido aquele pequeno comando, pois eu era um simples recruta, e inválido de uma perna, ainda por cima. Durante duas noites, montei guarda com meus punjabis. Eram uns sujeitos altos e de aspecto feroz, chamados Mahomet Singh e Abdullah Khan, ambos velhos combatentes, que pegaram em armas contra nós em Chilian Wallah. Falavam inglês muito bem, mas eu raramente conseguia arrancar-lhes algumas palavras. Eles preferiam ficar juntos e tagarelar a noite toda em sua algaravia *sikh*. Quanto a mim, eu costumava ficar do lado de fora do portão, olhando para o rio largo e sinuoso e as luzes bruxuleantes da grande cidade. A batida dos tambores, o rufar dos atabaques e os gritos e uivos dos rebeldes, ébrios de ópio e de bangue, bastavam para nos lembrar a noite toda de nossos perigosos vizinhos do outro lado do rio. A cada duas horas, o oficial de turno passava por todos os postos para ver se tudo estava bem.

"A terceira noite da minha guarda foi escura e nublada, com uma chuva fina e insistente. Era um trabalho detestável ficar no portão hora após hora naquele tempo. Tentei repetidas vezes fazer meus *sikhs* falarem, mas sem muito êxito. Às duas da manhã, a ronda passou e interrompeu por um momento o marasmo da noite. Vendo que meus colegas não queriam saber de conversar, peguei meu cachimbo e larguei o fuzil para riscar um fósforo. Num instante, os dois *sikhs* estavam em cima de mim. Um deles pegou meu fuzil e o apontou para a minha cabeça, enquanto o outro segurava um grande punhal contra a minha garganta e jurava entre os dentes que o cravaria em mim, caso eu desse um só passo.

"Meu primeiro pensamento foi que aqueles sujeitos estavam mancomunados com os rebeldes, e que aquilo era o início de um ataque. Se nossa porta fosse tomada pelos *sepoys*, o forte cairia, e as mulheres e crianças seriam tratadas como foram em Cawnpore.* Talvez os senhores achem que estou apenas defendendo a minha reputação, mas dou minha palavra que, ao pensar nisso, mesmo sentindo a ponta do punhal na minha garganta, abri a boca com a intenção de dar um grito, ainda que fosse o último, para alertar o posto central. O homem que me segurava pareceu ler meus pensamentos; pois quando eu me preparava para gritar, sussurrou: 'Não faça barulho. O forte está a salvo. Não há cães rebeldes deste lado do rio.' O que ele dizia soava sincero, e eu sabia que se levantasse a voz, seria um homem morto. Podia ler isso nos olhos castanhos do sujeito. Esperei, portanto, em silêncio, para saber o que eles queriam de mim.

"'Escute, *sahib*', disse o mais alto e feroz dos dois, aquele que se chamava Abdullah Khan. 'Precisa ficar do nosso lado, agora,

---

* Cidade à beira do Ganges, onde aconteceu um massacre de mulheres e crianças britânicas em 1857. (N. T.)

ou se calará para sempre. A coisa é grande demais para hesitarmos. Ou você se junta a nós de corpo e alma, jurando pela cruz dos cristãos, ou esta noite seu corpo será jogado na vala, e passaremos para o lado dos nossos irmãos no exército rebelde. Não existe meio-termo. O que vai ser: morte ou vida? Só podemos lhe dar três minutos para decidir, porque o tempo está correndo, e tudo precisa ser feito antes que a ronda passe de novo.'

"'Como posso decidir?', eu disse. 'Vocês não disseram o que querem de mim. Mas já digo que se for algo contra a segurança do forte, eu não tomarei parte, e pode ficar à vontade para cravar seu punhal.'

"'Não é nada contra o forte', ele disse. 'Só pedimos que faça o que seus compatriotas vieram fazer nesta terra. Pedimos que fique rico. Se for um de nós esta noite, juramos sobre o punhal desembainhado, pelo juramento tríplice que nenhum *sikh* jamais quebrou, que terá sua parte justa da fortuna. Um quarto do tesouro será seu. Não há como sermos mais justos.'

"'Mas que tesouro é esse, então?', perguntei. 'Estou mais do que pronto para ficar rico, basta me mostrar como.'

"'Jurará, então', ele disse, 'pelos ossos de seu pai, pela honra de sua mãe, pela cruz da sua fé, jamais erguer a mão e jamais dizer uma palavra contra nós, agora ou depois?'

"'Jurarei', respondi, 'contanto que o forte não corra perigo.'

"'Então meu camarada e eu juraremos que o *sahib* terá um quarto do tesouro, que será dividido igualmente entre nós quatro.'

"'Somos só três', eu disse.

"'Não. Dost Akbar precisa ter sua parte. Podemos contar toda a história enquanto esperamos por eles. Fique no portão, Mahomet Singh, e avise quando chegarem. A coisa é assim, *sahib*, e vou contá-la porque sei que um juramento tem valor para um *feringhee** e que podemos confiar no *sahib*. Se fosse um hindu mentiroso, por mais que tivesse jurado por todos os deuses em seus templos falsos, seu sangue estaria no meu punhal, e seu corpo na água. Mas os *sikhs* conhecem os ingleses, e os ingleses conhecem os *sikhs*. Ouça, então, o que tenho a dizer.

"'Existe um rajá nas províncias do norte que tem muitas riquezas, embora suas terras sejam pequenas. Ele herdou muita coisa do pai, e amealhou mais ainda sozinho, pois é de natureza mesquinha e amontoa o seu ouro, em vez de gastá-lo. Quando o tumulto começou, ele quis ser amigo tanto do leão quanto do tigre — tanto dos *sepoys* quanto do *raj* da Companhia.** Logo, porém, pareceu-lhe que o dia do homem branco chegara, já que por todo o país ele não ouvia outras notícias senão da morte e da derrocada dos colonizadores. No entanto, por ser um homem cauteloso, ele fez planos para que, houvesse o que houvesse, lhe restasse ao menos metade de seu tesouro. A parte que estava em ouro e

---

* Termo indiano para "europeu". (N. T.

** Companhia Britânica das Índias Orientais. "*Raj*" era o termo indiano para a autoridade dessa companhia. (N. T.)

prata, ele guardou nos cofres do palácio, mas as pedras mais preciosas e as pérolas mais seletas que tinha ele pôs num baú de ferro e o entregou a um criado de confiança, o qual, disfarçado de mercador, deveria levá-lo para o forte de Agra, ali permanecendo até que a paz reinasse no país. Assim, se os rebeldes vencessem, ele teria o seu dinheiro, mas se a Companhia prevalecesse, suas joias estariam a salvo. Tendo dividido assim suas reservas, ele se dedicou à causa dos *sepoys*, já que eles eram fortes ao redor de suas terras. Como ele fez isso, note bem, *sahib*, suas posses pertencem por direito àqueles que permaneceram leais à própria causa.

"'Esse falso mercador, que viaja sob o nome de Achmet, agora está na cidade de Agra e deseja ganhar acesso ao forte. Com ele, acompanhando-o na viagem, está meu irmão adotivo Dost Akbar, que conhece o seu segredo. Dost Akbar prometeu trazê-lo hoje à noite a uma entrada lateral do forte e escolheu a nossa para tal propósito. Logo ele chegará, e aqui encontrará Mahomet Singh e eu à sua espera. O lugar é deserto e ninguém saberá de sua chegada. O mundo não ouvirá mais falar do mercador Achmet, mas o grande tesouro do rajá será dividido entre nós. O que me diz disso, *sahib*?'

"Em Worcestershire, a vida de um homem parece algo grandioso e sagrado; mas a coisa é muito diferente quando há fogo e sangue ao nosso redor, e nos acostumamos a encontrar a morte em cada esquina. Se o mercador Achmet ia viver ou morrer, era algo tão leve quanto o ar, para mim, mas quando foi mencionado o tesouro, meu coração se encantou com ele, e eu pensei no que poderia fazer na velha pátria com aquela riqueza, e como meu povo arregalaria os olhos ao ver este imprestável voltando com os bolsos cheios de moedas de ouro. Portanto, eu já havia decidido. Abdullah Khan, todavia, achando que eu hesitava, me pressionou mais um pouco.

"'Considere, *sahib*', ele disse, 'que se esse homem for capturado pelo comandante, será enforcado ou fuzilado, e suas joias, confiscadas pelo governo, de modo que homem algum lucrará uma só rúpia com elas. Bem, já que nós vamos capturá-lo, por que não fazer o resto também? As joias ficarão tão bem conosco quanto nos cofres da Companhia. Serão suficientes para tornar cada um de nós um ricaço e um grande chefe. Ninguém vai ficar sabendo, aqui estamos isolados de todos. O que poderia ser melhor para o que temos em mente? Diga, portanto, *sahib*, se está do nosso lado ou se devemos considerá-lo um inimigo.'

"'Estou com vocês de corpo e alma', eu disse.

"'Está bem', ele respondeu, devolvendo-me o fuzil. 'Veja que confiamos no *sahib*, pois sua palavra, como a nossa, é inquebrável. Agora só precisamos esperar pelo meu irmão e o mercador.'

"'Seu irmão sabe, então, o que vocês vão fazer?', perguntei.

"'O plano foi dele. Ele o criou. Iremos para o portão e vigiaremos junto com Mahomet Singh.'

"A chuva ainda caía ininterruptamente, já que a estação úmida mal começara. Nuvens marrons e pesadas cruzavam o céu, e era difícil enxergar alguns metros à frente. Havia um fosso profundo diante da nossa porta, mas a água, em certos lugares, quase desaparecera, e seria fácil transpô-lo. Era estranho, para mim, estar ali com aqueles dois punjabis selvagens, esperando pelo homem que encontraria sua morte.

"De repente, percebi o brilho de uma lanterna coberta do outro lado do fosso. A luz desapareceu entre os montes de terra, e então reapareceu, vindo lentamente em nossa direção.

"'Lá estão eles!', exclamei.

"'Deve abordá-lo, *sahib*, como de costume', sussurrou Abdullah. 'Não lhe dê motivos para temer nada. Mande-nos entrar com ele, e faremos o resto, enquanto o *sahib* fica aqui de guarda. Prepare-se para descobrir a lanterna, para nos certificarmos de que é o homem mesmo.'

"A luz continuou se aproximando, ora parando e ora avançando, até que pude ver duas sombras do outro lado do fosso. Deixei que descessem a encosta íngreme, chafurdando no lodo, e que estivessem na metade do caminho até o portão antes de abordá-los.

"'Quem vem lá?', eu disse em voz baixa.

"'Amigos', veio a resposta. Descobri a minha lanterna e joguei um facho de luz sobre eles. O primeiro era um *sikh* enorme, com uma barba negra que batia quase na sua cintura. Eu nunca vira um homem tão alto, a não ser em circos. O outro era um sujeitinho gorducho e roliço, com um grande turbante amarelo e um fardo nas mãos, envolto num xale. Ele parecia estar se tremendo todo de medo, pois suas mãos se contorciam como se ele estivesse com maleita, e sua cabeça ficava virando à esquerda e à direita com dois olhinhos brilhantes faiscando, como um rato quando se aventura para fora de seu buraco. Arrepiava-me pensar em matá-lo, mas me lembrei do tesouro e meu coração se fez mais duro que uma pederneira no peito. Quando ele viu meu rosto branco, soltou um pequeno chilreio de alegria e veio correndo na minha direção.

"'Sua proteção, *sahib*', ele ofegou, 'sua proteção para o infeliz mercador Achmet. Atravessei Rajputana para buscar abrigo no forte de Agra. Fui assaltado, espancado e abusado por ter sido amigo da Companhia. Esta é uma noite abençoada, porque mais uma vez estou em segurança — eu e meus pobres pertences.'

"'O que leva no fardo?', perguntei.

"'Um baú de metal', ele respondeu, 'que contém uma ou duas coisinhas de família, sem nenhum valor para os outros, mas que eu lamentaria muito perder. No entanto, não sou um mendigo; e recompensá-lo-ei, jovem *sahib*, e o seu superior também, se ele me der o asilo que busco.'

"Eu não me considerava capaz de conversar mais com o homem. Quanto mais eu olhava para seu rosto gordo e assustado, mais difícil me parecia abatê-lo a sangue-frio. Era melhor acabar logo com aquilo.

"'Levem-no para o posto central', eu disse. Os dois *sikhs* se aproximaram dele, um de cada lado, o gigante seguiu atrás, e o grupo todo entrou marchando pelo portão escuro. Nunca um homem foi tão bem cercado pela morte. Eu fiquei no portão com a lanterna.

"Eu podia ouvir o ruído ritmado de seus passos ecoando nos corredores desertos. De repente, ele cessou, e ouvi vozes e uma briga, com o som de golpes. Um momento depois, para meu horror, um tropel de passos veio na minha direção, com o arfar pesado de um homem correndo. Virei a lanterna para a passagem longa e reta, e lá estava o homem gordo, correndo como o vento, com o rosto banhado de sangue, e em seu encalço, saltando como um tigre, o grande *sikh* da barba negra, com um punhal reluzindo em sua mão. Nunca vi um homem correr tão rápido quanto aquele pequeno mercador. Ele estava se distanciando do *sikh*, e eu podia ver que, depois de passar por mim e estar em campo aberto, conseguiria se salvar. Meu coração se abrandou por ele, mas novamente, a lembrança do seu tesouro me deixou rígido e amargo. Joguei meu fuzil entre as suas pernas quando ele passou por mim, e ele rolou duas vezes, como um coelho atingido por um tiro. Antes que pudesse se erguer tropegamente, o *sikh* estava em cima dele e cravou o punhal duas vezes no seu flanco. O homem não soltou um gemido, não moveu um músculo, mas ficou caído onde estava. Chego a pensar que ele pode ter quebrado o pescoço com a queda. Vejam, cavalheiros, que mantenho minha promessa. Estou contando cada detalhe do negócio exatamente como aconteceu, quer seja em meu favor, quer não."

Ele parou e estendeu as mãos algemadas até o copo de uísque com água que Holmes lhe preparara. Pessoalmente, confesso que eu já estava completamente horrorizado com aquele homem, não apenas pela cruel transação na qual se envolvera, mas até mais pela maneira algo displicente e insensível em que a narrava. Fosse qual fosse a punição que o esperava, senti que ele não poderia contar com a minha compaixão. Sherlock Holmes e Jones estavam sentados com as mãos sobre os joelhos, profundamente interessados na história, mas com a mesma revolta estampada nos rostos. Ele devia ter percebido isso, pois havia um toque de desafio em sua voz e atitude, quando prosseguiu.

— Foi tudo muito perverso, sem dúvida — ele disse. — Gostaria de saber quantos sujeitos, no meu lugar, teriam recusado uma parte do tesouro, sabendo que, nesse caso, a recompensa seria uma garganta cortada. Além disso, era a minha vida ou a dele, depois que ele entrou no forte. Se o homem tivesse fugido, o caso todo viria à tona, e muito provavelmente eu iria para a corte marcial e seria fuzilado; as pessoas não eram muito clementes numa época como aquela.

— Continue com a sua história — disse Holmes em tom seco.

"Bem, nós o carregamos para dentro, Abdullah, Akbar e eu. E bem pesado ele era, mesmo sendo tão baixinho. Mahomet Singh ficou de guarda na porta. Nós o levamos até um lugar que os *sikhs* já haviam preparado. Era a alguma distância dali, onde uma passagem sinuosa levava para um grande salão vazio, cujas paredes de tijolos estavam caindo aos pedaços. O chão de terra batida afundara num lugar, criando uma cova natural, por isso deixamos Achmet, o mercador, ali, cobrindo-o antes com tijolos soltos. Feito isso, todos voltamos para o tesouro.

"Estava ali, onde o homem o soltara ao ser atacado. O baú era esse mesmo que agora está aberto sobre a mesa. Havia uma chave amarrada com um cordão de seda nessa alça entalhada da tampa. Nós o abrimos, e a luz da lanterna brilhou sobre uma coleção de pedras preciosas como as que eu já lera e sonhara a respeito quando era menino em Pershore. Seu brilho era cegante. Depois de as devorarmos com os olhos, tiramos todas do baú e fizemos uma lista. Havia 143 diamantes do mais alto grau de pureza, incluindo um que se chamava, acredito, 'O Grão-Mogol', e era considerado o segundo maior do mundo. Também havia 97 excelentes esmeraldas e 170 rubis, alguns dos quais, porém, eram pequenos. Havia 40 carbúnculos, 210 safiras, 61 ágatas e uma grande quantidade de berilos, ônix, olhos de gato, turquesas e outras pedras, cujos nomes eu nem conhecia na época, embora tenha me familiarizado mais com elas desde então. Além disso, havia quase trezentas pérolas de primeira qualidade, doze das quais engastadas num diadema de ouro. A propósito, essas últimas foram retiradas do baú, pois não estavam lá quando o recuperei.

"Depois de contar nossos tesouros, nós os devolvemos ao baú e os levamos para o portão, para mostrá-los a Mahomet Singh. Então renovamos solenemente nosso juramento de apoio mútuo e fidelidade ao nosso segredo. Concordamos em esconder nossa riqueza num lugar seguro até que o país voltasse a ter paz, e então dividi-la em partes iguais entre nós. Nem adiantaria dividi-la naquele momento, pois se pedras daquele valor fossem encontradas conosco, isso levantaria suspeitas, e não havia privacidade no forte, nem em qualquer outro lugar onde as pudéssemos guardar. Carregamos o baú, portanto, para o mesmo salão onde havíamos enterrado o corpo, e ali, sob certos tijolos na parede melhor preservada, abrimos um buraco e guardamos nosso tesouro. Tomamos nota do lugar cuidadosamente e, no dia seguinte, eu desenhei quatro mapas, um para cada um de nós, e pus o signo de nós quatro embaixo deles, já que havíamos jurado que sempre agiríamos em nome de todos, e que ninguém poderia levar vantagem. Esse é um voto que posso jurar, com a mão no coração, nunca ter quebrado.

"Bem, é supérfluo contar aos senhores no que deu o motim indiano. Depois que Wilson tomou Déli e Sir Colin libertou Lucknow, a espinha do movimento foi quebrada. Novas tropas chegavam aos montes, e Nana Sahib fugiu, cruzando a fronteira. Uma coluna ligeira comandada pelo coronel Greathed chegou a Agra e expulsou todos os nativos de lá. A paz parecia estar voltando ao país, e nós quatro começávamos a ter esperança de que chegara o momento de partir em segurança com nosso quinhão do que fora roubado. Num momento, no entanto, nossas esperanças foram despedaçadas, quando fomos presos pelo assassinato de Achmet.

"Aconteceu da seguinte forma: quando o rajá pôs suas joias nas mãos de Achmet, fez isso porque sabia que ele era de confiança. Mas esse povo do Oriente é ressabiado: por isso, o que esse rajá não fez, senão destacar um segundo criado, ainda de mais confiança, para espionar o primeiro? Esse segundo homem recebeu ordens para jamais perder Achmet de vista, e o seguia como se fosse sua sombra. Foi atrás de Achmet naquela noite e o viu passar pelo nosso portão. Claro que ele achou que Achmet tivesse se refugiado no forte, e ele próprio solicitou asilo ali no dia seguinte, mas não encontrou nem sinal de Achmet. Ele achou isso tão estranho que falou a respeito com um sargento, o qual levou o caso aos ouvidos do comandante. Uma busca minuciosa foi rapidamente realizada e o corpo foi descoberto. Assim, no exato momento em que achávamos que tudo estava sob controle, os quatro fomos capturados e julgados pela acusação de assassinato — três de nós porque vigiamos o portão naquela noite e o quarto porque, como se sabia, estava acompanhando a vítima. Nem uma palavra sobre as joias foi dita no julgamento, pois o rajá fora deposto e expulso da Índia: portanto, ninguém tinha particular interesse nelas. O assassinato, porém, foi provado com clareza, e deu-se como certo que todos estávamos envolvidos nele. Os três *sikhs* foram punidos com a prisão perpétua, e eu fui condenado à morte, embora minha pena tenha sido depois comutada para a mesma dos outros.

"A posição em que nos encontrávamos, então, era bastante peculiar. Lá estávamos os quatro amarrados pela perna e com chances remotíssimas de um dia voltarmos a ser livres, enquanto cada um possuía um segredo que nos permitiria morar num palácio, se apenas pudéssemos fazer uso dele. Era suficiente para matar um homem de aflição, suportar os pontapés e pescoções de todo esbirro insignificante, ter apenas arroz para comer e água para beber, enquanto aquela fortuna maravilhosa estava pronta do lado de fora, só esperando ser recolhida. Aquilo poderia ter-me enlouquecido; mas eu sempre fui muito teimoso, por isso me segurei e esperei o tempo passar.

"Finalmente, me pareceu que o momento chegara. Fui transferido de Agra para Madras, e de lá para a Ilha de Blair, uma das Andamã. Há muito poucos presos brancos naquela colônia penal, e como eu tivera bom comportamento desde o início, logo passei a ser uma espécie de privilegiado. Ganhei uma cabana em Hope Town, um lugarzinho nas encostas do Monte Harriet, e lá me deixavam praticamente em paz. É um lugar medonho e infestado pela febre amarela, e todo o entorno da nossa pequena clareira estava tomado por selvagens canibais nativos, prontos para soprar um dardo envenenado em nós na primeira oportunidade. Cavávamos, carregávamos terra, plantávamos inhame e fazíamos mais uma dúzia de coisas, por isso passávamos o dia todo ocupados; ainda que à noite tivéssemos um tempinho para nós mesmos. Entre outras coisas, aprendi a manipular drogas para o cirurgião, e um pouco dos seus conhecimentos respingou em mim. O tempo todo, eu ficava de olho numa chance de fuga; mas aquela ilha estava a centenas de quilômetros de qualquer outro lugar, e quase não havia vento naqueles mares: portanto, sair dali era uma tarefa terrivelmente difícil.

"O cirurgião, o Dr. Somerton, era um sujeito animado e jogador, e os outros jovens oficiais se reuniam nos aposentos dele, à noite, para jogar cartas. A enfermaria, onde eu preparava minhas drogas, ficava perto de sua sala de estar, com uma pequena janela entre os dois cômodos. Às vezes, quando me sentia solitário, eu desligava a luz na enfermaria, e então, parado ali, ouvia a conversa deles e os via jogar. Também gosto de um carteado, e ver os outros jogando era quase tão bom quanto participar do jogo. Lá estavam o major Sholto, o capitão Morstan e o tenente Bromley Brown, que eram encarregados das tropas nativas, e também o próprio cirurgião e dois ou três carcereiros, jogadores experientes e habilidosos, com seu belo estilo de jogo dissimulado e cauteloso. Aquele era um grupinho bem arranjado.

"Mas havia uma coisa que desde cedo notei, e era que os militares em geral sempre perdiam, enquanto os civis ganhavam. Vejam bem, não estou dizendo que houvesse nisso algo de desonesto, mas era o que acontecia. Os camaradas da prisão não faziam muita coisa além de jogar cartas desde que chegaram às Ilhas Andamã, e já conheciam o jogo um do outro, enquanto os militares só jogavam para matar o tempo e lançavam as cartas na mesa sem pensar. Noite após noite, os soldados ficavam cada vez mais pobres, e quanto mais eles ficavam pobres, mais queriam jogar. O major Sholto era o mais prejudicado. De início, pagava em cédulas e em ouro, mas logo passou às promissórias, e de altos valores. Às vezes ele ganhava algumas rodadas, só para se animar, e então a sorte se voltava contra ele, pior do que nunca. O dia todo ele vagava de péssimo humor, e começou a beber muito mais do que deveria.

"Uma noite, ele perdeu mais ainda do que de costume. Eu estava na minha cabana quando ele e o capitão Morstan passaram cambaleando, a caminho de seu alojamento. Eram grandes amigos, aqueles dois, e nunca se separavam.

O major estava se queixando de suas perdas.

"'Está tudo acabado, Morstan', ele dizia, enquanto passavam pela minha cabana. 'Vou ter que pedir minha reforma. Estou arruinado.'

"'Bobagem, meu velho!', disse o outro, dando-lhe um tapinha no ombro. 'Eu também fui tosquiado, mas...' Foi só o que pude ouvir, mas bastou para me fazer refletir.

"Alguns dias depois, o major Sholto estava caminhando pela praia: por isso resolvi aproveitar a oportunidade para falar com ele.

"'Queria um conselho seu, major', eu disse.

"'Pois bem, Small, o que é?', ele perguntou, tirando o charuto indiano dos lábios.

"'Queria lhe perguntar, senhor', eu disse, 'a quem deveria ser entregue um tesouro escondido. Sei onde está um que vale meio milhão, e como não poderei fazer uso dele, achei que talvez o melhor a fazer fosse entregá-lo às autoridades competentes, e com isso talvez conseguir uma redução da minha pena.'

"'Meio milhão, Small?', ele disse com um sobressalto, olhando fundo nos meus olhos para ver se eu estava sendo sincero.

"'Exatamente, senhor — em pedras preciosas e pérolas. Está lá, à disposição de qualquer um. E o mais estranho disso é que o verdadeiro dono foi proscrito e não pode ter posses, portanto, o tesouro pertence a quem o encontrar.'

"'Ao governo, Small', ele gaguejou, 'ao governo'. Mas disse isso de forma hesitante, e percebi que eu o tinha fisgado.

"'O senhor acha, então, que eu deveria dar essa informação ao governador-geral?', eu disse em voz baixa.

"'Ora, ora, você não deve fazer nada precipitado, ou de que possa se arrepender depois. Conte-me tudo, Small. Apresente-me os fatos.'

"Contei toda a história a ele, com pequenas alterações para que não pudesse identificar os lugares. Quando terminei, ele ficou imóvel e profundamente pensativo. Eu podia ver, pelos seus lábios trêmulos, que uma batalha acontecia dentro dele.

"'Essa é uma questão muito importante, Small', ele disse por fim. 'Você não deve dizer uma só palavra a ninguém a respeito dela, e logo vou procurá-lo de novo.'

"Duas noites depois, ele e seu amigo, o capitão Morstan, vieram à minha cabana no meio da noite com uma lanterna.

"'Quero que o capitão Morstan ouça aquela história dos seus lábios, Small', ele disse.

"Eu a repeti como já a havia contado antes.

"'Parece verdade, não?', ele disse. 'Acha válida o suficiente para agir?'

"O capitão balançou a cabeça.

"'Olhe aqui, Small', disse o major. 'Nós conversamos a respeito, meu amigo aqui e eu, e chegamos à conclusão de que esse seu segredo está longe de ser assunto para o governo, no fim das contas, e sim um problema particular seu, sobre o qual, é claro, você tem o poder de decidir o que achar melhor. Agora, a questão é, que preço você pediria por ele? Nós estamos inclinados a assumir o caso, e ao menos investigá-lo, desde que possamos entrar num acordo quanto às condições.' Ele tentava falar de forma fria e displicente, mas seus olhos brilhavam de empolgação e ganância.

"'Ora, quanto a isso, cavalheiros', respondi, também tentando ser frio, mas me sentindo tão empolgado quanto ele, 'só existe um negócio que um homem na minha situação pode fazer. Quero que me ajudem a conquistar minha liberdade, e também a dos meus três companheiros. Então aceitaremos os senhores como parceiros, e receberão um quinto do tesouro para dividir.'

"'Hum!', ele disse. 'Um quinto! Não é muito tentador.'

"'São quase cinquenta mil para cada', eu disse.

"'Mas como podemos libertar vocês? Sabe muito bem que está pedindo algo impossível.'

"'Nada disso', respondi. 'Planejei tudo nos mínimos detalhes. O único obstáculo à nossa fuga é não termos um barco adequado para a viagem, nem suprimentos que durem tanto tempo. Há muitos pequenos iates e ioles em Calcutá e em Madras que serviriam bem ao nosso propósito. Tragam um para cá. Arranjaremos uma maneira de subir a bordo à noite, e se os senhores nos deixarem em qualquer parte da costa indiana, terão cumprido sua parte do acordo.'

"'Ainda se fosse só um', ele disse.

"'Todos nós, ou nenhum', respondi. 'Nós juramos. Nós quatro devemos sempre agir juntos.'

"'Como vê, Morstan', ele disse, 'Small é um homem de palavra. Não abandona os amigos. Acho que podemos confiar nele, e muito.'

"'É um negócio sujo', o outro respondeu. 'Porém, como você diz, o dinheiro salvaria muito bem nossos encargos.'

"'Então, Small', disse o major, 'suponho que devamos tentar atender suas condições. Antes, é claro, precisamos averiguar a veracidade da sua história. Diga onde o baú está escondido, e eu tirarei uma licença e voltarei para a Índia com a entrega mensal de mantimentos para investigar o negócio.'

"'Calma', eu disse, ficando mais frio quanto mais ele se esquentava. 'Preciso obter o consentimento dos meus três camaradas. Já disse que somos os quatro ou nenhum de nós.'

"'Bobagem!', ele interrompeu. 'O que três sujeitos de pele escura têm a ver com o nosso acordo?'

"'Pele escura ou clara', eu disse, 'eles estão nisso comigo, e nós quatro vamos juntos.'

"Bem, a questão resultou numa segunda reunião, à qual Mahomet Singh, Abdullah Khan e Dost Akbar também estiveram presentes. Discutimos o assunto de novo, e finalmente chegamos a um acordo. Devíamos fornecer aos dois oficiais mapas daquela parte do forte de Agra e marcar neles o lugar na parede onde o tesouro estava escondido. O major Sholto iria para a Índia verificar a nossa história. Se ele encontrasse o baú, deveria deixá-lo lá, mandar um pequeno iate com suprimentos para a viagem, o qual ficaria ancorado na Ilha de Rutland, para onde nós iríamos, e finalmente voltar ao seu posto. O capitão Morstan, então, solicitaria uma licença para ir nos encontrar em Agra e lá faríamos a divisão final do tesouro, deixando com o capitão, além da sua, também a parte do major. Selamos tudo isso com os votos mais solenes que a mente podia conceber ou os lábios pronunciarem. Fiquei a noite toda acordado com papel e tinta, e pela manhã, os dois mapas estavam prontos, assinados com o signo dos quatro — ou seja, Abdullah, Akbar, Mahomet e eu.

"Bem, cavalheiros, minha longa história os está cansando, e sei que meu amigo, o Sr. Jones, está impaciente para me guardar muito bem guardado numa cela. Vou abreviá-la o máximo que puder. O velhaco do Sholto foi para a Índia, mas nunca mais voltou. O capitão Morstan me mostrou o nome dele na lista de passageiros de um dos navios postais pouco depois disso. Seu tio morrera, deixando-lhe uma fortuna, e ele saíra do exército; mesmo assim, foi capaz de se rebaixar a tratar cinco homens do modo como nos tratou. Morstan foi para Agra logo depois e descobriu, como já esperávamos, que o tesouro havia desaparecido. O canalha havia roubado tudo sem cumprir nenhuma das condições sob as quais lhe havíamos vendido o segredo. Desde aquele dia, eu vivi somente para me vingar. Pensava nisso de dia e nutria esse sonho à noite. Tornou-se uma paixão avassaladora e envolvente para mim. De nada me importava a lei — ou o cadafalso. Fugir, localizar Sholto, pôr minhas mãos em seu pescoço — esse era o meu único pensamento. Até o tesouro de Agra se tornara, na minha mente, algo menor do que matar Sholto.

"Bem, já enfiei muitas coisas na cabeça nesta vida, e não deixei de realizar nenhuma delas. Mas os anos se arrastaram antes que minha hora chegasse. Já contei aos senhores que eu aprendera um pouco de medicina. Um dia, quando o Dr. Somerton estava acamado com febre, um pequeno ilhéu das Andamã foi encontrado por um grupo de prisioneiros na floresta. Estava à beira da morte e se recolhera a um lugar solitário para morrer. Cuidei dele, apesar de ser venenoso como um filhote de cobra, e depois de alguns meses o deixei saudável e capaz de andar. Ele criou um certo apego a mim, então, e se recusava a voltar para a floresta, estava sempre rondando a minha cabana. Aprendi um pouco de sua linguagem, e isso fez com que ele gostasse ainda mais de mim.

"Tonga — pois esse era o seu nome — era exímio barqueiro e possuía uma canoa grande e espaçosa. Quando descobri que ele era devotado a mim e faria qualquer coisa para me servir, vi minha chance de fugir. Falei a respeito disso com ele. Pedi que levasse seu barco, numa certa noite, a um velho atracadouro que nunca era vigiado, e lá ele me pegaria. Eu o instruí para que pusesse no barco várias cabaças de água e muitos inhames, cocos e batatas-doces.

"Ele era leal e sincero, o pequeno Tonga. Ninguém jamais teve um companheiro mais fiel. Na noite combinada, ele estava com seu barco no atracadouro. Por acaso, porém, um dos carcereiros estava lá — um vil afegão que nunca perdia a oportunidade de me insultar e ferir. Eu sempre jurei me vingar, e tive então minha chance. Fora o destino que o colocara no meu caminho, para que eu pagasse minha dívida antes de deixar a ilha. Ele estava de pé à beira da água, de costas para mim, com a carabina no ombro. Procurei uma pedra para estourar-lhe os miolos, mas não vi nenhuma.

"Então, um pensamento estranho surgiu na minha cabeça e me mostrou onde eu poderia encontrar uma arma. Sentei-me na escuridão e soltei minha perna de pau. Com três grandes saltos, já estava em cima dele. Ele chegou a mirar a carabina, mas eu o atingi em cheio e afundei toda a parte da frente do seu crânio. Podem ver que a madeira está rachada na parte com que bati nele. Ambos caímos juntos, porque eu não conseguia me equilibrar; mas quando me levantei, vi que ele continuava deitado, imóvel. Fui até o barco, e em uma hora estávamos em mar aberto. Tonga trouxera com ele todas as suas posses materiais, suas armas e seus ídolos. Entre outras coisas, ele tinha uma longa lança de bambu e uma lona feita de fibra de coco das Andamã, objetos com os quais improvisei uma vela. Por dez dias vagamos, confiando na sorte, e no décimo-primeiro fomos resgatados por um navio mercante que ia de Cingapura a Jiddah levando peregrinos malaios. Eram um grupo esquisito, e Tonga e eu logo conseguimos desaparecer no meio deles. Tinham uma excelente qualidade: deixavam os outros em paz e não faziam perguntas.

"Bem, se eu fosse contar todas as aventuras que meu camaradinha e eu vivemos, os senhores não me agradeceriam, pois eu os seguraria aqui até o sol raiar. Vagamos pelo mundo, aqui e ali, mas sempre surgia algo para nos manter longe de Londres. O tempo todo, no entanto, eu não perdia de vista meu propósito. Sonhava com Sholto à noite. Mil vezes o matei em sonhos. Finalmente, porém, há três ou quatro anos, nos vimos na Inglaterra. Não tive muita dificuldade para descobrir onde Sholto morava, e pus-me ao trabalho para averiguar se ele gastara o tesouro ou ainda o guardava. Fiz amizade com alguém que podia me ajudar — não citarei nomes, porque não quero arrastar mais ninguém para o buraco — e logo descobri que ele ainda possuía as joias. Então tentei pegá-lo de várias formas; mas ele era bem esperto, e sempre tinha dois lutadores, além de seus filhos e seu *khitmutgar* montando guarda ao seu redor.

"Um dia, porém, avisaram-me de que ele estava morrendo. Corri imediatamente para o jardim, furioso só de pensar que ele poderia fugir das minhas garras assim, e, olhando pela janela, vi-o deitado em sua cama, com os filhos ao seu lado. Eu teria entrado e me arriscado contra os três, mas enquanto eu o olhava, seu queixo caiu, e percebi que ele se fora. Entrei no quarto naquela mesma noite, então, e vasculhei sua papelada para ver se havia alguma indicação de onde ele escondera nossas joias. Não havia uma só linha, entreanto, por isso fui embora, mais amargurado e furioso do que nunca. Antes de partir, pensei que, se um dia eu reencontrasse meus amigos *sikhs*, seria uma satisfação, para eles, saber que eu deixara alguma marca do nosso ódio; por isso rabisquei o nosso signo, como ele estava no mapa, e o preguei sobre o peito dele. Ele ir para a cova sem nenhum sinal dos homens que ele roubara e enganara já seria demais.

"Eu ganhava a vida, na época, exibindo o pobre Tonga em feiras e outros lugares como o canibal negro. Nos espetáculos, ele comia carne crua e fazia sua dança da guerra: portanto, sempre tínhamos um chapéu cheio de moedas depois de um dia de trabalho. Eu continuava recebendo todas as notícias da Mansão Pondicherry, e durante alguns anos não houve nenhuma novidade, à parte que eles estavam procurando o tesouro. Finalmente, no entanto, chegou a notícia que eu esperara por tanto tempo. O tesouro havia sido encontrado. Estava no alto da casa, no laboratório químico de Bartholomew Sholto. Fui para lá imediatamente e dei uma olhada no lugar, mas não sabia como, com minha perna de pau, poderia subir ali. Descobri, porém, que havia um alçapão no telhado e também o horário em que o Sr. Sholto jantava. Parecia-me que eu conseguiria facilmente fazer aquilo, com a ajuda de Tonga. Eu o levei comigo, com uma longa corda atada à sua cintura. Ele era capaz de escalar como um gato, e logo passou pelo telhado, mas, como quis o azar, Bartholomew Sholto ainda estava no quarto, e isso custou-lhe a vida. Tonga achou que tivesse feito algo muito inteligente ao matá-lo, pois quando subi pela corda, encontrei-o marchando pelo quarto, altivo como um pavão. Muito surpreso ficou quando o acertei com a ponta da corda e o amaldiçoei por ser um monstrinho sanguinário. Peguei o baú do tesouro e o baixei, e então desci também, antes deixando o signo dos quatro sobre a mesa para mostrar que as joias finalmente haviam voltado para aqueles que tinham mais direito a elas. Tonga, então, puxou a corda para cima, travou a janela e saiu por onde entrara.

"Acho que não tenho mais nada a lhes contar. Ouvi um marinheiro falar da velocidade da lancha de Smith, a *Aurora*, e achei que seria a embarcação ideal para nossa fuga. Falei com o velho Smith e lhe prometi uma cifra elevada, caso ele nos levasse em segurança até nosso navio. Ele sabia, sem dúvida, que havia algo errado naquilo, mas não partilhava dos nossos segredos. Tudo isso é a verdade, e se estou contando, cavalheiros, não é para entretê-los — pois os senhores não me ajudaram muito —, mas porque acredito que a minha melhor defesa é simplesmente não esconder nada e deixar que o mundo todo saiba o quanto eu mesmo fui injustiçado pelo major Sholto, e quão inocente sou da morte do seu filho."

A ESTRANHA HISTÓRIA DE JONATHAN SMALL

— Um relato notável — disse Sherlock Holmes. — Um encerramento à altura de um caso extremamente interessante. Não há absolutamente nada de novo, para mim, na última parte de sua narrativa, a não ser que foi você que levou a corda. Isso eu não sabia. A propósito, eu esperava que Tonga tivesse perdido todos os dardos; no entanto, ele conseguiu lançar um contra nós no barco.

— Ele perdeu todos, senhor, menos um que já estava na zarabatana.

— Ah, é claro — disse Holmes. — Eu não tinha pensado nisso.

— Existe mais algum detalhe sobre o qual queira inquirir? — perguntou o prisioneiro afavelmente.

— Acho que não, obrigado — meu colega respondeu.

— Bem, Holmes — disse Athelney Jones —, você merece ser atendido em suas exigências, e todos sabemos que é um conhecedor do mundo do crime; mas o dever me chama, e fui um tanto longe em fazer o que você e seu amigo me pediram. Ficarei mais tranquilo quando nosso contador de histórias aqui estiver seguramente trancafiado. A carruagem está à espera, e há dois inspetores lá embaixo. Agradeço muito a vocês dois pela assistência. Naturalmente, serão convocados para o julgamento. Boa noite.

— Boa noite, cavalheiros — disse Jonathan Small.

— Você primeiro, Small — ordenou o cauteloso Jones, quando eles saíram da sala. — Tomarei especial cuidado para que não me golpeie com sua perna de pau, seja o que for que tenha feito com aquele cavalheiro nas Ilhas Andamã.

— Bem, e assim se conclui nosso pequeno drama — comentei, depois que ficamos por algum tempo fumando em silêncio. — Temo que talvez seja a última investigação na qual terei a oportunidade de estudar seus métodos. A Srta. Morstan concedeu-me a honra de me aceitar como seu pretendente.

Holmes deu um suspiro assaz desanimado.

— Eu já temia isso — ele disse. — Sinceramente, não posso parabenizá-lo.

Fiquei um pouco magoado.

— Tem algum motivo para ficar insatisfeito com minha escolha? — perguntei.

— De modo algum. Acho que ela é uma das mais encantadoras jovens que já conheci, e poderia ser muito útil num trabalho como o que fazíamos. Decididamente, tem um gênio inclinado a isso; veja o modo como ela separou aquele mapa de Agra de todos os outros documentos do pai. Mas o amor é algo emocional, e tudo que é emocional se opõe à razão verdadeira e fria que prezo acima de todas as coisas. Eu jamais me casaria, por temer que isso influenciasse meu juízo.

— Acredito — eu disse rindo — que meu juízo talvez sobreviva a essa provação. Mas você parece cansado.

— Sim, a reação já me acomete. Ficarei imprestável como um trapo por uma semana.

— Estranho — eu disse — como períodos daquilo que poderia ser chamado de preguiça em outro homem se alternam com seus acessos de esplêndida energia e vigor.

— Sim — ele respondeu —, possuo elementos de um poltrão de primeira, e também de um sujeito bastante ativo. Penso amiúde naquela frase do velho Goethe: *Schade dass die Natur nur einen Mensch aus dir schuf, Denn zum würdigen Mann war und zum Schelmen der Stoff.** A propósito desse caso de Norwood, repare que eles tinham, como eu supunha, um cúmplice na casa, que não poderia ser outro senão Lal Rao, o mordomo: portanto, Jones pode reivindicar sozinho, na verdade, a honra de apanhar um peixe em sua enorme redada.

— A partilha parece um tanto injusta — comentei. — Você fez todo o trabalho, neste caso. Eu ganhei uma esposa, Jones levou o crédito, e o que resta para você?

— Para mim — disse Sherlock Holmes —, ainda resta o frasco de cocaína. — E estendeu sua longa e alva mão para pegá-lo.

---

* Pena que a natureza tenha feito de você apenas um homem, pois havia pano suficiente para fazer um sujeito de valor e um patife." Em alemão no original. (N. T.)

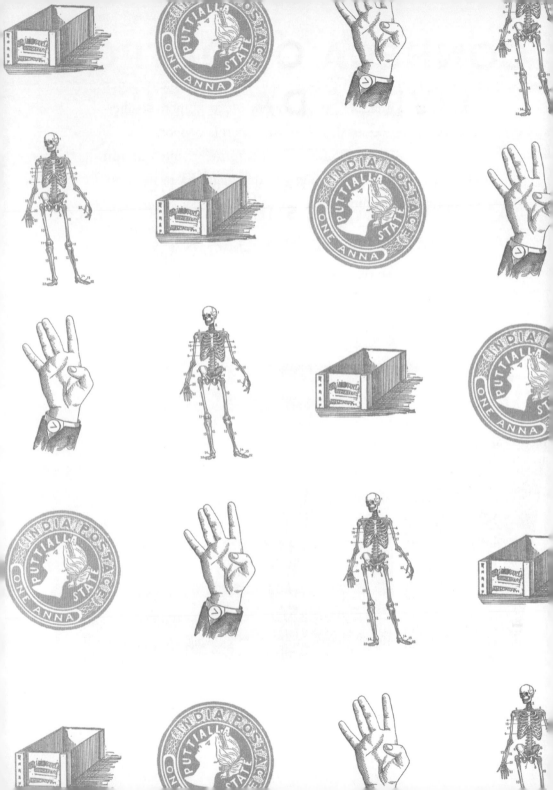

CONHEÇA OS OUTROS LIVROS DA SÉRIE

UM ESTUDO EM VERMELHO
AS AVENTURAS DE SHERLOCK HOLMES
AS MEMÓRIAS DE SHERLOCK HOLMES